Ma course autour du monde

Mario Bonenfant

MA COURSE AUTOUR DU MONDE

Editions du Printemps

Photo de la couverture: Gilles Lauzon

Maquette: Adigraph Inc.

Composition et montage: Atelier Publi-Compo Inc. St-Jérôme 1983

Les Éditions du Printemps Inc.

Bibliothèque nationale du Québec
Dépôt légal - 4e trimestre 1983
ISBN 2-89264-009-1

En hommage à mes parents et à ma famille,
en particulier à ma mère Colombe décédée
quelques mois après mon retour.

"Heureux qui comme Ulysse a fait un beau voyage..."

Oui, c'est vrai, j'ai fait un beau voyage et il me faut remercier une foule de gens pour cette aventure inoubliable. D'abord Radio-Canada, Claude Morin, le directeur de la Course, Reine Malo, l'animatrice, et Richard Guay, le juge permanent, et toute l'équipe technique.

Merci à Antenne 2 de Paris, en particulier à Noëlle Bourgeon, Roger Bourgeon et toute l'équipe.

Merci surtout aux téléspectateurs, vous étiez six cent mille au Québec et quatorze millions en Europe, merci de m'avoir suivi fidèlement sur le petit écran pendant vingt-deux semaines.

PRÉFACE

Grand, mince, frisé, les yeux curieux derrière ses lunettes, c'est ainsi que m'est apparu la première fois, Mario Bonenfant qu'on me présentait comme "le p'tit gars de Trois-Rivières". Un "p'tit" gars qui me dépassait d'un bon six pouces.

Cette première fois, c'était lors de l'enregistrement des finales canadiennes en juin 1982, finales qui allaient déterminer qui, parmi les quatre finalistes, allait représenter le Canada dans La Course Autour du Monde 1982-1983.

Plus les pointages s'accumulaient, plus Georges Amar, un des quatre finalistes, se détachait du groupe. L'évidence s'imposait: Georges était un des partants. Mais, qui serait le deuxième? Tous se posaient la question.

Je me souviens avoir accordé 14 points sur 20 pour chacun des films de Mario Bonenfant; des films techniquement soignés, mais qui souffraient d'un commentaire terne et d'un manque d'impact. Mais, quand tous les films de tous les candidats furent jugés, les points que moi et les autres juges avions accordés à Mario suffisaient pour le placer au second rang. Il partait!

Mais, une fois l'épreuve des finales terminée et pendant la période de préparation des deux concurrents canadiens avant le grand départ, nous n'étions pas du tout sûrs que Mario avait l'étoffe pour entreprendre la course. Comment "le p'tit gars de Trois-Rivières" allait-il pouvoir se débrouiller tout seul au bout du monde? Si nous avions confiance en Georges, le doute s'était emparé de nous quant à Mario.

Et les premières semaines de course allaient nous donner raison. Georges réalisait d'excellents films, accumulait de bons points et Mario tournait des petits films touristiques décevants et restait, semaine après semaine, bon dernier. J'espérais tout simplement qu'il n'abandonne pas la course, et qu'il ne décide pas de rentrer chez-lui.

Or, voici que celui à qui j'avais dit à Paris avant son départ qu'il ne pouvait que nous surprendre s'est mis précisément à nous étonner. Non seulement Mario n'avait-il pas abandonné, mais après six semaines de course, ses films commençaient enfin à s'améliorer. Il obtenait de meilleurs pointages, il quittait définitivement la dernière place et commençait sa montée.

Une montée qui allait le mener jusqu'à la Montagne Sacrée en Chine, un reportage de Mario que les habitués de la Course ne sont pas prêts d'oublier.

Et si les films de Mario ont pris de l'intérêt et obtenu de meilleurs pointages, c'est que "le p'tit gars de Trois-Rivières" a tout d'abord laissé libre cours à sa curiosité. En effet, ses yeux curieux se sont mis à regarder et à s'émerveiller. Émerveillement que tous les spectateurs de la francophonie ont pu partager.

Aussi, les films de Mario avaient souvent comme point de départ, un sujet simple; souvent très simple. Qu'on se souvienne par exemple de son film sur la soupe aux nids d'hirondelles ou de son film sur les tatamis. Mais, ces sujets simples, il en faisait habilement le tour et prenait souvent appui sur eux pour nous faire entrevoir tout un monde, toute une société, toute une culture.

Et plus la Course progressait, plus Mario, de façon évidente, y prenait plaisir. Et nous donc! On m'arrêtait sur la rue: "Comment va Mario? Son film est-il bon cette semaine? Pensez-vous qu'il peut gagner?" Comme tout le monde, j'espérais.

Quand les derniers films furent jugés, les derniers pointages inscrits, Mario finissait deuxième à cinq points du premier, Alain Brunard, qui avait mené pendant toute la Course.

Mais, cette deuxième place, c'était en fait, la première. La première dans le coeur de milliers de Québécois et de Canadiens, la première aussi pour beaucoup de spectateurs francophones à travers le monde.

C'est qu'à cause de sa progression, de sa montée depuis la toute dernière place du peloton, de la menace qu'il avait fait planer pendant les toutes dernières semaines sur le premier rang, Mario avait été, sans conteste, ici comme ailleurs, le candidat le plus remarqué. Il avait été le "Rocky" de la Course Autour du Monde, c'est-à-dire, celui qui, au point de départ, ne semblait avoir aucune chance et qui, finalement, est venu à un cheveu de finir premier.

Une performance inoubliable par un individu auquel je tiens à rendre hommage ici et dont le témoignage dans les pages qui suivent saura sans doute intéresser tous ceux qui souhaitent revivre cette expérience tout à fait unique du “p’tit gars de Trois-Rivières”.

Richard Guay,
juge permanent canadien
à La Course Autour du Monde

CLASSEMENT

		1	2	3	4	5	6	7	8	9	10	11	12	13	14	15	16	17	18	19	20	21	22	Total
SRC	GEORGES AMAR	3 74 79	1 90 84.5	2 72 80.3	2 66 76.7	2 ■ 76.7	3 56 72.6	6 59 70.3	7 63 69.3	7 ■ 69.3	7 65 68.7	7 71 69	7 65 68.6	7 ■ 68.6	7 81 69.7	7 64 69.2	7 83 70.2	7 ■ 70.2	7 79 70.8	7 67 70.5	7 87 71.6	7 ■ 71.6	7 86 72.5	1232
SRC	MARIO BONENFANT	8 58 58	8 59 58.5	8 ■ 58.5	8 76 64.5	8 70 65.8	8 79 68.4	7 ■ 68.4	4 89 71.8	6 73 72	4' 84 73.5	5 ■ 73.5	3 87 75	3 80 75.6	4 69 75	3' ■ 75	2 86 75.9	2 81 76.3	2 97 77.7	2 ■ 77.7	2 95 78.9	2 106 80.6	2 96 81.5	1386
SSR	RAPHAËL GUILET	4' 71 71	4 72 71.5	6 63 68.7	5 ■ 68.7	6 73 69.8	4 81 72	4 70 71.6	5 ■ 71.6	4 76 72.2	3 84 73.7	4 80 74.4	4 ■ 74.4	4 79 74.9	2 85 75.8	3' 67 75	3 ■ 75.1	4 77 75.2	4 80 75.5	3 78 75.7	4 ■ 75.7	4 74 75.6	4 90 76.5	1300
SSR	YVES GODEL	7 63 63	7 ■ 63	5 75 69	4 83 73.6	4 60 70.3	6 ■ 70.3	8 53 66.8	8 73 67.8	8 59 66.5	8 ■ 66.5	8 70 67	8 62 66.4	8 54 65.2	8 ■ 65.2	8 82 66.7	8 70 67	8 69 67.2	8 ■ 67.2	8 76 67.9	8 76 68.4	8 74 68.8	8 76 69.2	1177
A-2	ANNE-CHRISTINE LEROUX	1 90 90	2 74 82	1 90 84.7	1 67 80.3	1 ■ 80.3	1 64 77	2 53 73	2 77 73.5	3 ■ 73.5	4' 73 73.5	2' 84 74.7	2 86 75.8	2 ■ 75.8	3 71 75.3	2 77 75.5	5 61 74.4	5 ■ 74.4	6 66 73.7	6 75 73.8	6 78 74.1	6 ■ 74.1	6 82 74.6	1268
A-2	JEAN-FRANÇOIS CUISINE	2 83 83	5 54 68.5	4 ■ 68.5	6 60 65.6	5 78 68.7	5 77 70.6	5 ■ 70.6	6 70 70.3	2 99 75.2	2 72 74.7	2' 84 74.7	6 59 73	6 59 71.6	6 80 72.3	6 ■ 72.3	6 95 74.2	6 69 73.8	5 78 74	5 ■ 74	5 80 74.4	5 71 74.3	5 88 75.1	1277
RTL	ALAIN BRUNARD	4' 71 71	3 84 77.5	3 71 75.3	3 ■ 75.3	3 62 72	2 83 74.2	1 78 74.8	1 ■ 74.8	1 90 77	1 75 76.2	1 83 77	1 ■ 77	1 86 77.9	1 98 79.7	1 96 81	1 ■ 81	1 99 82.4	1 63 81	1 86 81.3	1 ■ 81.3	1 74 80.9	1 97 81.8	1391
RTL	MARC DE HOLOGNE	6 70 70	6 ■ 70	7 50 60	7 75 65	7 80 68.8	7 ■ 68.8	3 85 72	3 73 72.1	5 72 72.1	6 ■ 72.1	6 76 72.6	5 85 74.1	5 79 74.6	5 ■ 74.6	5 63 73.5	4 86 74.5	3 89 75.6	3 ■ 75.6	4 68 75.1	3 95 76.4	3 97 77.6	3 107 79.5	1351

Légende du tableau de classement:
- Dans le coin supérieur gauche, le rang obtenu au cours de la semaine.
- Dans le coin supérieur droit, la note du film de la semaine. Un carré noir signifiant une semaine de congé.
- Dessous, la moyenne cumulative.
- La dernière colonne indique le total de points obtenus.

Titre des films	Date de diffusion	Pointage semaine	Rang semaine	Pointage moyen	Rang moyen	Pointage accumulé
Le touriste ne fait que passer	9 octobre	58	8e	58	8e	58
Corridas portugaises	16 octobre	59	5e	58.5	8e	117
Grand moussem à Imilchil	30 octobre	76	2e	64.5	8e	193
Exodus	6 novembre	70	4e	65.8	8e	263
Ce qui dort dans la boue	8 janvier	69	6e	75	4e	
Cent coups de pioche pour un peso	13 novembre	79	3e	68.4	8e	342
Les centenaires des Andes	27 novembre	89	1er	71.8	4e	431
Neptune, le pirate des eaux	4 décembre	73	4e	72	6e	504
Heureux qui comme Félix...	11 décembre	84	1er	73.5	4e	588
Les hôtesses de parcomètres	25 décembre	87	1er	75	3e	675
Barossa Valley	1 janvier	80	2e	75.6	3e	755
Les jeux sont faits, rien ne va plus	Film inutilisable remplacé par "Ce qui dort dans la boue" (5e) 8 janvier	69	8e	75	3e	824
Les taureaux avaient le feu	Film inutilisable (caméra défectueuse)					
D'une bouche à l'autre	22 janvier	86	2e	75.9	2e	910
"Le Sepak Takraw"	29 janvier	81	3e	76.3	2e	991
Le Tatami	5 février	97	1er	77.7	2e	1088
Lumière après dix ans de ténèbres	19 février	95	1er	78.9	2e	1183
"Taïshan, ma montagne sacrée"	26 février	106	1er	80.6	2e	1289
D'un amour brûlant	5 mars	96	3e	81.5	2e	1386

Lorsque je suis revenu de mon voyage, c'était le moment précis où l'on démarrait le processus de la sélection des candidats qui me succéderaient dans la prochaine Course Autour du Monde 1983-1984.

Pour m'amuser, j'ai voulu ajouter mon nom à la longue liste des postulants, sachant très bien que les règlements de la Course m'empêcheraient de représenter Radio-Canada une seconde fois.

C'est pourquoi j'ai finalement envoyé la traditionnelle carte postale d'inscription. Il s'agissait, en fait, de la 260ième carte que j'aie écrite depuis mon départ du Québec en août 1982... J'avais l'habitude de toujours donner un numéro de série à mes lettres et cartes... Avis aux collectionneurs.

À ma grande surprise, M. Claude Morin de Radio-Canada s'est mis, lui aussi, à jouer le jeu jusqu'au bout en me répondant d'une façon très particulière.

Canadian Broadcasting Corporation — Société Radio-Canada

Le 19 avril 1983.

Monsieur Mario Bonenfant
369 Des Forges
Trois-Rivières, Québec
G9A 2G9

Cher Monsieur Bonenfant,

Nous accusons réception de votre carte postale no 260 en date du 29 mars 1983. Il nous fait plaisir de souscrire à votre demande en vous faisant parvenir un dossier constitutif de "LA COURSE AUTOUR DU MONDE", édition 1983/84.

Cependant, nous nous interrogeons sur la pertinence de votre candidature. Cette course est très exigeante, vous devez bien sûr vous en douter. A titre informatif, il vous faudra quitter parents et amis pendant six mois, accepter des conseils de tous et chacun, dormir dans un poste de pompier, prendre des avions à toutes heures du jour et de la nuit, passer en touriste au Portugal, refuser le mariage au Maroc, manger des merguez en Algérie, descendre dans les profondeurs de la terre pour un peso en Bolivie, laisser sa caméra en automatique pendant que l'on déjeune tranquillement dans les Andes, plonger sous les mers pour retrouver un certain Neptune mexicain, jouer au pacha en Californie, se "parker" en Australie en bonne compagnie en sirotant le vin du pays, perdre un film dans la boue et le retrouver dans une poubelle, faire la chasse aux nids d'hirondelles, pratiquer un sport en Malaisie, dormir sur le tatami, faire des kilomètres pour admirer des blocs de glace, escalader des montagnes (sacrées de préférence), épouser la cause des femmes en Inde, courir, prendre des taxis, des autobus, etc, habiter chez des gens qu'on ne connaît pas, nouer et dénouer des amitiés tout au long du périple, expédier un film presqu'à chaque semaine, des cartes postales, téléphoner à Montréal et parler longtemps (cela coûte une fortune), affronter des journalistes et surtout NE PAS TOUJOURS MANGER A SA FAIM ... Quelle misère!
Je vous propose que vous réfléchissiez longuement avant de poser votre candidature, discutez-en avec vos parents et vos amis, écoutez leurs conseils. L'an dernier, un candidat de votre âge et portant le même nom s'est présenté: il a parcouru le monde, il a réussi une deuxième place et rêve toujours de faire du cinéma. Parlez-lui en, il saura vous aider à prendre la bonne décision...

Agréez, cher Monsieur, l'expression de mes sentiments les meilleurs.

Claude Morin
Chef-adjoint,
Emissions Jeunesse TV
1400 boul. Dorchester est
Montréal, Québec H2L 2M2

CM/ac

LA COURSE AUTOUR DU MONDE, C'EST QUOI?

Depuis cinq ans, entre septembre et mars - vingt-deux semaines - huit jeunes de dix-huit à vingt-cinq ans parcourent les cinq continents, caméra au poing, pour le plus grand bonheur d'un auditoire de télévision évalué cette année à six cent mille Canadiens et à quatorze millions d'Européens.

C'est **La Course Autour du Monde,** une émission coproduite par le Canada, la Suisse, le Luxembourg et la France. Elle permet à deux jeunes cinéastes amateurs de chacun de ces pays participants de réaliser une vingtaine de films aux quatre coins du monde. Les élus reçoivent un billet d'avion de neuf mille dollars, un équipement cinématographique super-8 et une allocation bimensuelle de sept cent cinquante dollars. Mais ils auront besoin de bien plus! De l'endurance, de la débrouillardise...

J'ai terminé en deuxième position alors que j'étais étudiant à l'Université Concordia. J'allais partir - en même temps que Georges Amar - représenter le Canada.

Les participants ont une semaine pour se familiariser avec un nouvel environnement, trouver un sujet - et un bon! -, repérer les lieux de tournage, gagner la confiance des gens, filmer, rédiger le commentaire... Le film est monté à Paris, selon les directives écrites du réalisateur qui ne verra qu'après la course le produit fini. Le jeune globetrotter, lui, est déjà ailleurs: de nouveau le dépaysement, la recherche frénétique de l'idée géniale, la pression de l'échéancier, la solitude...

À des milliers de kilomètres de là, des juges, bien au chaud dans un studio, analyseront et critiqueront froidement les petits chefs-d'oeuvre, réalisés souvent dans des conditions archi-compliquées. Et les participants, qui ne se voient à peu près jamais et ne peuvent pas comparer leurs films, sont évalués les uns par rapport aux autres: c'est la course aux points.

Quelle vie!

Et pourtant, ils étaient plus de cinq cents en 82-83 à cogner à la porte de Radio-Canada, et plus de huit cents en 83-84.

Montréal, le 2 juillet 1982

Monsieur Mario Bonenfant
369, des Forges
Trois-Rivières, P.Q.
G9A 2G9

Félicitations!

Vous avez été sélectionné par le jury pour représenter la Société Radio-Canada à l'émission "LA COURSE AUTOUR DU MONDE", co-produite avec les Télévisions francophones.

Vous trouverez ci-joint une foule de renseignements qui vous seront utiles aux préparatifs de votre périple.

Vous êtes convoqué le 5 juillet prochain à 10:00 heures à une réunion qui se tiendra au 7e étage de la Maison Radio-Canada.

Nous pouvons vous indiquer dans un premier temps que:

- *du 6 au 18 juillet, vous pouvez vous consacrer aux préparatifs de votre voyage, i.e. passeport, certificat international pour les vaccins indispensables: fièvre jaune, choléra, variole, etc. Nous vous prions de consulter un médecin qui vous guidera sur votre choix de quelques médicaments protecteurs essentiels dont il serait bon de vous munir.*

- *Le 19 juillet, vous êtes convoqué de nouveau à Radio-Canada à 10:00 heures au 7e étage, pour faire le point sur vos sujets. Une première esquisse de votre itinéraire de votre voyage autour du monde devra être transmise à Air France (Paris). L'itinéraire sera évalué en fonction de sa faisabilité et de la bourse voyage. Il doit de toute façon être approuvé par le Directeur de la Course.*

- *Vous devez tourner à 24 images/sec. votre auto-portrait, ce film sera développé à Montréal, vous l'apporterez dans vos bagages et le montage sera effectué à Paris.*

- *Du 26 au 30 juillet, visionnement d'émissions antérieures.*

- *Du 2 au 6 août, travaux pratiques, scénarisation, évaluation de certains reportages déjà diffusés à la Course, tournage, rédaction de commentaires, entrevues, etc. - personne ressource: Jean-Pierre Masse.*

- *Du 9 au 28 août: suite des préparatifs.*

- *28 août: départ pour Paris.*

- *Le 30 août vous êtes convoqué chez Antenne 2, 5-7 rue Monttessuy, Paris, à 10:00 heures a.m. Vous ferez connaissance avec l'équipe de production et les six autres candidats.*

- *Après le 30 août, montage de votre auto-portrait avec les monteurs parisiens, achat et essai de votre matériel, etc.*

- *Le 11 septembre, production de l'émission auto-portrait et départ.*

- *Le 12 septembre, c'est le grand départ pour votre aventure autour du monde.*

Je vous souhaite bon courage et que la chance et le succès vous accompagnent.

Claude Morin
Chef-adjoint
Émissions Jeunesse TV
1400, boul. Dorchester est
Montréal, Québec H2L 2M2

CM/ac

MA COURSE AUTOUR DU MONDE

La Course Autour du Monde n'est pas un voyage d'agrément; j'en étais bien conscient. Je me suis porté candidat pour plusieurs raisons. Au CÉGEP, j'avais fait les sciences pures. Je voulais m'ouvrir un maximum de portes, tiraillé entre la sécurité qu'offre une carrière scientifique et le désir de prendre au sérieux ma passion pour le cinéma. J'ai opté pour une première année en Beaux-Arts à l'Université Concordia de Montréal. C'est alors que j'ai réalisé que pour faire du cinéma, il faut avoir quelque chose à dire et, généralement, quand on sort du CÉGEP, on n'a pas grand chose dans le "buffet". Il me fallait prendre de l'expérience. La Course Autour du Monde était une merveilleuse façon d'acquérir cette expérience.

Je faisais la Course pour faire du cinéma, pas pour le voyage. D'ailleurs, le plus difficile, ce n'est pas de faire le tour du monde, c'est de faire un film chaque semaine. Je voulais faire des films simples, faire le tour de la question et l'important c'était d'adopter une méthode scientifique. J'ai choisi des pays sur lesquels j'avais lu certaines choses. Dans ce genre de voyage, la plage est une perte de temps.

À vingt ans, il faut avoir une personnalité un peu spéciale. Il ne faut pas avoir peur de l'inconnu. Il faut être simple et bien organisé.

La Course, c'est six mois de voyage seul, c'est très dur mais c'est une grande expérience de communication et de relations interpersonnelles.

La Course, c'est plus qu'un concours de cinéma. C'est une sorte de concours de personnalité. Chaque semaine, j'ai dû approcher une foule de gens, répéter des centaines de fois la même histoire, avec le même enthousiasme. Je n'avais qu'à leur dire que j'arrivais au Mexique et que la semaine suivante, je serais en Australie. Que les scènes que nous allions tourner avec cette petite caméra de rien du tout seraient vues par 15 millions de Français, dans cinq pays... C'était magique! Sur le ton de la confidence, je leur disais n'avoir que trois ou quatre jours devant moi, et que j'apprécierais leur collaboration... Les gens restaient bouche bée. Plus besoin de cartes, de papiers, les portes m'étaient grandes ouvertes.

N'importe où dans le monde, j'arrivais à mobiliser et à coordonner beaucoup plus de gens et d'énergies que je n'ai jamais pu en soulever à Trois-Rivières ou à Montréal...

Avec une histoire aussi abracadabrante, j'arrivais à communiquer et à faire partager aux gens le défi de "ma course". Quelquefois, je les rendais même complices de mon succès. Peut-être que pour une semaine, je leur faisais oublier leur quotidien... Liberté et aventure sont des mots magiques qui réussiront toujours à éclairer les visages, peu importe le pays ou la culture.

Ma course a commencé à Lisbonne. Je n'avais pas peur. "Je dois être inconscient", que je me disais. On m'avait saturé de principes et de conseils: ne pas boire l'eau, se signaler à l'ambassade, faire de l'exercice, ne pas manger ci, ne pas perdre de temps avec ça, cacher les films, ne pas dire qu'on est de la télévision...! Je ne savais plus où donner de la tête. Alors, au risque de me casser la figure, j'ai préféré y aller par intuition. J'allais aussi apprendre à vivre avec moi-même.

Il y a beaucoup de couleur à Lisbonne et j'ai tout de suite senti ce qui me donnerait le souffle de faire la course jusqu'au bout: l'exotisme. Je filmais tout et n'importe quoi; le vieux réflexe du touriste. Mes tournages manquaient visiblement d'orientation. Je pensais plus ou moins à réaliser des films; je voyageais, je voulais aller vite, voir des choses et en rapporter le plus d'images possible!

Puis vint l'Afrique du Nord, l'enfer de Casablanca, la première rencontre avec le Tiers-Monde: le choc culturel.

C'est alors que les contradictions me sont apparues. On ne peut pas se foutre des gens quand on fait un film. Il faut s'en approcher. Caméra au poing, je me suis mis tout à coup à me sentir voyeur. J'avais l'impression de violer les gens. Je n'étais pas chez moi, je ne les connaissais même pas. J'étirais le bras, je prenais un plan ou deux et je m'enfuyais. C'était dur. J'avais l'impression d'avoir une mitraillette entre les mains...

Puis ce fut l'Afrique noire, les régimes militaires, l'interdiction de tourner dans les rues, le marché noir, les pénuries et le couvre-feu... La course s'avérait bien différente de ce que j'avais imaginé! J'étais habitué aux films propres, j'aime les comédies et la science-fiction, Steven Spielberg et Georges Lucas... Mais qu'est-ce que je faisais au Ghana?

Après quatre films, tous différents les uns des autres, je ne m'étais pas encore découvert un style particulier, et je n'étais déjà plus inspiré...

Au même moment, samedi cinq heures, de l'autre côté de la terre, l'émission **La Course Autour du Monde** était lancée pour une cinquième année consécutive. Les téléspectateurs et les juges se sont mis à scruter, décomposer et analyser mon travail. On lui a donné une cote. Chaque semaine, il y aurait des points attribués à chaque film et un classement.

Malheureusement, il ne me sera jamais donné de voir "mon" émission (c'est la malédiction du télé-globe-trotter). Pendant six mois, je passerai mon temps à tourner des films, à enregistrer des commentaires, à rédiger des plans de montage, sans jamais avoir la chance de voir mes images. Un vrai travail de moine!

Un mois après le début de **la Course,** j'ai appris que mon premier film était coté cinquante neuf sur cent vingt. Quel échec! J'étais en huitième place: le dernier de la "gang".

J'avais le bureau de **la Course** au téléphone: on m'encourageait, on me donnait des trucs. Mais je voulais qu'on comprenne mes problèmes, moi qui étais de l'autre côté du monde. Je ne voulais plus me séparer du récepteur. Ça coûtait cher... Il a bien fallu raccrocher. Et je me suis retrouvé tout seul, comme avant.

J'avais même un problème de plus: j'avais honte! Chaque année, il y a toujours un Canadien qui trouve le moyen de finir en huitième place, et j'allais confirmer la règle! Ce maudit film avait été vu et critiqué par 15 millions de téléspectateurs dans quatre pays. Moi qui ai horreur de perdre la face.

Après l'Afrique, vint l'Amérique du Sud: le Brésil, la Bolivie, le Pérou et l'Équateur. Ce fut le coup de foudre. Un climat tantôt chaud et coloré, tantôt froid et vif qui me rappelait l'automne québécois. Des visages photogéniques et une mentalité relaxe et pacifique. C'était le calme après la tempête.

C'est ici qu'a commencé mon ascension progressive vers la deuxième place. Je prenais maintenant plus de temps à sélectionner mes sujets et j'essayais toujours d'aller vers les coins perdus. Je ne me suis jamais vraiment senti à l'aise dans une grande ville. Je suis de

Champlain et de Trois-Rivières, en Mauricie... C'est sans doute ce qui m'a poussé à éviter les capitales, aussi rutilantes soient-elles.

Quitte à perdre une journée complète en déplacements, je tenais quand même à ressentir la distance entre mes étapes. Quand on fait le tour du monde en avion, d'un aéroport à l'autre, on ne se rend compte de rien du tout. Inconscient des distances et étourdi par les décalages horaires, on finit par perdre complètement la notion du temps et de l'espace.

En descendant par camion des hauts plateaux boliviens, vers la forêt pré-amazonienne, j'ai expérimenté quatre climats, quatre paysages différents en moins d'une journée. Je me suis aperçu qu'on pouvait aussi faire le tour du monde en restant toujours dans le même pays.

J'ai été profondément ému par l'Amérique du Sud et, quand est venu le temps d'écrire les commentaires qui devaient accompagner mes films, il y a des mots qui se sont mis à sortir tout seuls. Je réussissais enfin à communiquer avec les téléspectateurs. Et ils se sont mis à aimer mes films.

Au milieu de la course, l'Unesco a communiqué avec moi pour avoir une copie de mon sixième film, qui traitait de la situation des mineurs boliviens à Potosi. On voulait utiliser mon reportage comme document de sollicitation pour un projet d'aide à l'Amérique du Sud! Cela m'a touché. Ça m'a fait oublier les nuits blanches passées à le réaliser. Cela m'a surtout fait prendre conscience du pouvoir que je détenais avec ma petite caméra super-8.

Mes films commençaient à se distinguer. En plus d'être celui qui sortait des capitales, j'étais le benjamin de la course, celui qui s'attaquait à des sujets plus simples, mais en leur donnant un ton original. J'ai eu ma vague de films légers pour le temps des Fêtes: les hôtels pour chats de Los Angeles, et les hôtesses de parcomètres en Australie. J'ai fait des films sur le sport, sur la bouffe: le vin, la soupe aux nids d'hirondelles. J'ai trouvé des traditions, des institutions, des festivals, des lieux sacrés, en essayant toujours de me rapprocher des gens.

Si au lieu d'entreprendre ma course le douze septembre 1982, j'étais parti deux jours plus tard, il me semble que je n'aurais pas du tout fait les mêmes films. Une conversation avec un chauffeur de taxi, une rencontre avec une dame coopérante au beau milieu d'une gare délirante, une tempête de neige qu'on ne peut absolument pas intégrer dans le scénario prévu... tout pouvait changer l'allure de ma semaine.

C'est avec inquiétude que j'ai abordé l'Asie. À Bornéo, le vingt-six décembre, la chaleur était humide et étouffante: le climat du temps des Fêtes était tropical! Les bureaux de change étaient fermés, les auberges de jeunesse bondées, tout le monde en congé, bien que le pays soit musulman. Et dans les presbytères catholiques ou protestants, on ne m'ouvrait pas la porte... Où aller?

La déprime...

J'ai décidé de téléphoner à Montréal, à Jean-Louis Boudou, l'ange-gardien que Radio-Canada m'avait délégué. En poste (en théorie) vingt-quatre heures sur vingt-quatre. Mais Jean-Louis aussi avait fêté Noël... et il ne me sera d'aucun support dans le sens de mes attentes. La communication m'aura coûté trente-trois dollars, presque mon budget d'une journée! Quand je suis sorti, il pleuvait à boire debout...

La veille du Jour de l'An, à Singapour, le directeur de l'agence France-Presse m'a offert un petit réveillon au gigot et aux pommes de terre en purée. Quel bonheur! Ça faisait trois semaines que j'étais au riz!

Quand on est seul à l'étranger pour le temps des Fêtes, il y a des choses qui se déclenchent dans le métabolisme. Ça doit être dans les gènes: j'avais le goût de sortir, de fêter, de voir mes chums, mais je ne pouvais même pas m'accorder une journée de répit. C'était intenable... et je n'ai pas pu me retenir. J'ai téléphoné à mon amie et à dix de mes copains: une folie! En tout, cent cinquante dollars d'appels pour m'apercevoir qu'à l'autre bout du monde, rien n'avait changé... J'étais rassuré. Je pouvais terminer la course en paix.

Pendant des mois, j'ai vécu au jour le jour, sans jamais défaire mes valises. J'ai rencontré une foule de gens qui décidaient spontanément de me suivre et de m'aider. J'ai eu des conversations qui ont secoué ma façon de penser. Mais tous ces gens ne font que passer. Je savais qu'à la fin de la semaine, un avion me transporterait dans un autre pays. On se construit à la longue une carapace...

Deux mois après mon retour, j'ai l'impression de faire du trente à l'heure après avoir filé à cent vingt! Des fois, il me prend l'envie de faire comme pendant le concours, comme je l'ai fait vingt-deux fois en six mois: sauter dans le premier avion et quitter ce pays pour tout changer, recommencer à neuf. M'insérer dans une autre culture, et un autre contexte politique.

La Course Autour du Monde, c'est cette expérience de liberté et ce défi grandiose qui m'a arraché au quotidien et m'a transporté d'un pays à l'autre. J'avais les yeux et le coeur aussi grands ouverts que possible, comme le Petit Prince lorsqu'il est allé de planète en planète. Pour faire le tour du monde à vingt ans, je crois qu'il faut être un peu comme ce personnage de Saint-Exupéry, simple et ouvert aux autres, et se répéter que, souvent, l'essentiel est invisible pour les juges; on ne voit bien qu'avec sa caméra!

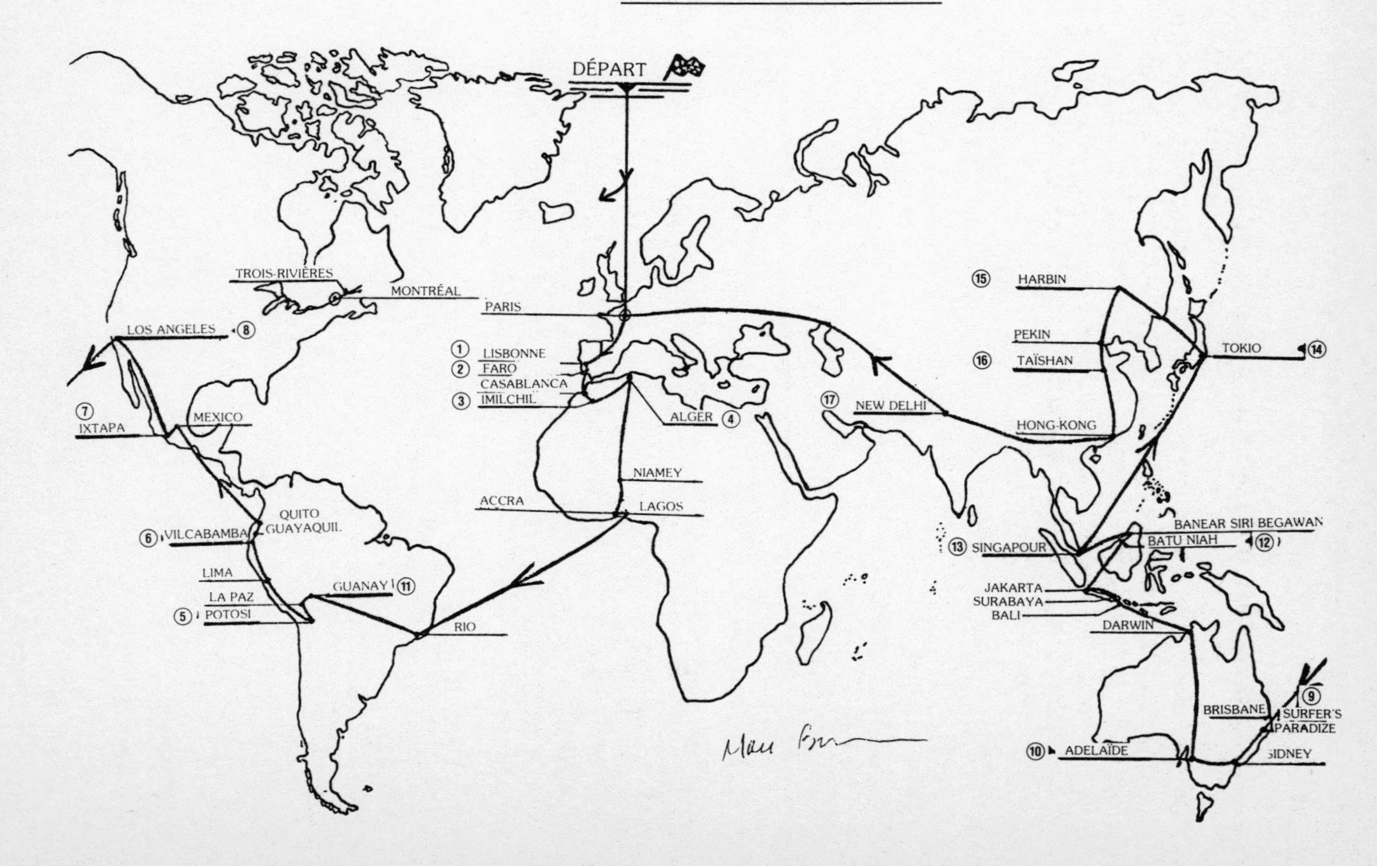
Radio-Canada
MARIO BONENFANT
DÉPART
TROIS-RIVIÈRES
MONTRÉAL
PARIS
LOS ANGELES
8
1 LISBONNE
2 FARO
CASABLANCA
3 IMILCHIL
7
IXTAPA
MEXICO
ALGER 4
17 NEW DELHI
15 HARBIN
PEKIN
16 TAÏSHAN
HONG-KONG
TOKIO
14
NIAMEY
ACCRA
LAGOS
QUITO
GUAYAQUIL
6 VILCABAMBA
LIMA
LA PAZ
5 POTOSI
GUANAY 11
RIO
BANEAR SIRI BEGAWAN
BATU NIAH
12
13 SINGAPOUR
JAKARTA
SURABAYA
BALI
DARWIN
9
BRISBANE
SURFER'S
PARADIZE
10 ADELAÏDE
SIDNEY

CHAPITRE UN

Le Portugal... ou comment partir bon dernier

Se préparer à un rallye en images autour du globe...

UN AMI TRILINGUE

12 septembre 1982

Après deux semaines en France, c'est le premier vol de la course Paris-Lisbonne. Je mets donc les pieds dans un coin du Portugal très chaud et humide, où une agence m'oriente tambour-battant vers un hôtel pas cher, en me saturant de cartes et de dépliants touristiques.

Sept heures du soir. Sans même avoir soupé, j'entreprends de nouer mes premiers contacts. Un nom, une adresse, une dame à qui j'apporte des photos qu'une amie n'avait jamais eu le temps de lui envoyer du Canada.

J'essaie le transport par autobus. Première barrière linguistique! Je perds une heure à n'effectuer que deux kilomètres. Je présente alors mon bout de papier portant l'adresse cherchée à un chauffeur de taxi qui s'empresse de faire quatre fois le tour du quartier, sans succès. Je frappe aux portes pour finalement me cogner le nez à une porte verrouillée. J'avais perdu trois heures.

Je me suis risqué à aller voir les voisins. Les Portugais sont des gens très accueillants. Ils m'ont tout de suite adopté et m'ont fourni une aide très précieuse pour mon film sur la corrida. Parmi ces gens, un type travaillait à la télévision portugaise. Le soir même de mon arrivée, il m'a offert un "Lisbonne by night", couronné d'une remarquable bouffe pendant laquelle j'avais peine à garder les yeux ouverts.

Le lendemain, en retard, je manque mon rendez-vous avec les gens de la télévision, mais sur place, je rencontre un important réalisateur trilingue dont tous les tournages étaient suspendus pour la semaine. Il a aimé ce que je faisais: cela doit faire rêver bien des réalisateurs! Il m'a consacré la semaine. Nous avons fait deux mille kilomètres en voiture à travers tout le sud du Portugal pour tourner mes deux premiers films dans le temps record d'une seule semaine.

Une scripte assistante de Radio-Canada m'avait parlé des charmantes cheminées d'Algarve, province à l'extrême sud du Portugal. Ces cheminées aux formes et motifs variés sont les seuls vestiges du passage des Arabes au VIe siècle. Sur place, j'ai trouvé le sujet trop léger. C'était beau, mais ça manquait de matière.

C'est pourquoi je me suis mis à y greffer plusieurs images de l'ensemble de mon périple en voiture, pour faire un film que Richard Gay, juge permanent canadien a qualifié de "touche à tout", de style journal de voyage. Ce fut un échec; le sujet était dans la même ligne que mes "tatamis" japonais, qui ont remporté un très grand succès, mais cette première fois mon sujet fut très mal cerné. Mettons ce résultat de cinquante-huit sur cent vingt, sur le dos de l'adaptation au voyage et au métier de reporter. Me voilà de la hauteur des cheminées d'Algarve, je suis tristement tombé dans le pointage de huit étages... Je devais, par la suite, garder cette huitième et dernière place durant sept semaines.

Hôte de ce premier tournage, j'ai réussi à me faire inviter par la télévision portugaise afin d'assister à deux corridas se déroulant aux environs de Lisbonne. Sujet non préparé, un peu cliché, mais que je jugeais opportun à présenter car les gens ne connaissent que les corridas espagnoles. Les juges n'ont malheureusement rien compris. On se souviendra de la scène où une équipe de toréadors disposée en ligne s'est fait embrocher par un taureau. Le jury s'est alors exclamé sur la chance que j'ai eue d'avoir tourné ce plan, mais ce n'était pas une chance: c'est ainsi que se terminent toutes les corridas portugaises, contrairement au meurtre de la bête chez les Espagnols. Les toréadors sautent sur la bête pour la calmer et la ramener vivante à l'enclos. Ils n'ont pas apprécié l'aspect aristocratique de cette coutume, ni la saveur rurale de cette pratique. Puisque **la Course autour du monde** est aussi une expérience de communication et que les juges n'ont pas compris ce que je voulais exprimer, j'ai mis le blâme sur mes épaules, je n'ai pas dû être suffisamment clair au niveau de l'image ou du commentaire. En tout cas, une chose était sûre: avec ce deuxième film le sujet était mieux cerné. Résultat: cinquante-neuf sur cent vingt. Avec un point de plus, ma remontée était déjà amorcée.

COMMENTAIRE FILM UN
LE TOURISTE NE FAIT QUE PASSER

..."Les os qui sont ici attendent les vôtres"...

...A "Evora", cent cinquante km à l'est de Lisbonne, les os de six cents chrétiens ont été encastrés dans ces murs du XVIIe siècle. Il n'y a que deux chapelles de ce genre au monde, une première à Naples, et celle-ci au Portugal la moins connue, "truffée de graffitis", a déjà été profanée par les touristes peut-être inconscients qu'un jour ils retourneront tous à la terre...

...Les touristes sont attirés par la grande richesse du Portugal: l'océan, porte de sortie vers les grandes conquêtes, a longtemps été la raison d'être de ce pays.

...Avec ses neuf cents km de côte et la plus grande superficie marine par rapport à celle du pays, le Portugal se range honorablement à côté des grands pays colonisateurs des siècles passés. De cet immense littoral, il ne reste que quelques villages de pêcheurs. Mais depuis vingt ans, ceux-ci se sont transformés en véritables marinas où la chaloupe

croise le bateau de plaisance pendant que le pauvre pêcheur se fraye un chemin au milieu des "surfers". Une fois de plus, le touriste ne fait que passer...

On retrouve ces contrastes surtout en Algarve. Cette province du midi représente le paradis des plages pour les uns et le pays des cheminées pour les autres. Celles-ci sont les derniers vestiges du règne des Arabes du VIIIe au XIVe siècle. Symbole d'un haut statut social, elles sont typiques et très riches en décorations. Les gens en sont très fiers... mais elles ne servent désormais plus à rien.

Elles ne sont plus que des décorations... on les installe sur les maisons, car les touristes aiment bien s'arrêter pour les photographier.

Un maçon de Pera a gagné un concours de fabrication de cheminées: une initiative de l'Office du Tourisme bien sûr. Depuis ce temps, il en fait une série pour toute la région, car c'est devenu commercial. On en retrouve des miniatures partout dans les boutiques et au supermarché, mais surtout sur le toit des maisons comme parure.

Les gens du pays ne comprennent pas trop l'engouement de l'étranger pour ces cheminées. Les touristes qui repartent pour Lisbonne, d'où ils doivent quitter le pays, en achètent immanquablement croyant avoir tout vu du Portugal...

Malheureusement, ils ne verront jamais les scènes que cache l'arrière-pays, bien loin des circuits touristiques, ces activités rurales que l'on croirait d'un autre pays, d'un autre temps.

Même dans la capitale, au milieu de la multitude, derrière les façades froides et indifférentes, à vingt mètres de la ligne de tramway, se cachent quand même des endroits chaleureux peuplés de gens aux visages remplis d'une simple richesse et qui ne se présentent à nous que si nous voulons bien nous y arrêter.

COMMENTAIRE FILM DEUX CORRIDAS PORTUGAISES

On voit des taureaux se ruant dans la foule!

Ce ne sont quand même pas des scènes qui courent les rues. Cette fête s'appelle "L'Espera de toros" (l'attente des taureaux) et fait revivre l'ancienne tradition dans laquelle la procession des taureaux passait par le coeur du village pour les conduire des pâturages à l'aréna.

À Moïta, douze kilomètres au sud de Lisbonne, nous assistons aujourd'hui à une corrida portugaise. La participation plutôt colorée de quelques Espagnols vient cependant ajouter un peu de diversité au spectacle.

Même si dans l'esprit des gens, une corrida c'est toujours du pareil au même, il ne faut pas s'y méprendre. Six taureaux vont défiler et subir le même traitement. Mais contrairement aux corridas espagnoles, ici au Portugal, on ne tue jamais le taureau en public.

En premier lieu, les tauréadors excitent les taureaux avec leur cape rouge comme en Espagne.

Par la suite, armés de courtes lances, les chevaliers donnent leur spectacle offensif.

Du temps où le Portugal faisait partie de l'Espagne, la corrida se résumait en une simple activité rurale; elle nous faisait simplement revivre la capture du bétail dans les champs. Apparentés au Rodéo, les costumes sobres et utilitaires des acteurs étaient souvent de cuir.

Mais au cours des siècles, la corrida portugaise a pris une toute autre tournure. Les cavaliers sont maintenant costumés à la Louis XV, car l'activité fut longtemps considérée comme un jeu ou un divertissement de la Cour.

Un cavalier portugais m'a raconté du haut de son cheval que tout ce qu'il a appris, il le tient de son père et que même à soixante-dix ans, celui-ci continue toujours de lui donner des trucs.

La corrida portugaise constitue un véritable spectacle, car chacun des cavaliers a son propre agent et son propre tailleur; certains suivent même des cours de ballet. Ils sont de véritables "artistes" professionnels bien rémunérés que les gens admirent en payant très cher pour aller les voir dans l'arène.

L'enjeu de la corrida réside essentiellement dans "la Pega de Toros" (la prise du taureau), particularité typiquement portugaise. Une équipe de jeunes toréadors s'enligne face au taureau et le provoque dans le but d'attirer la bête sur elle, de la freiner pour la rentrer dans l'enclos. Ces jeunes font revivre la tradition des valets ramenant le taureau hors de l'arène après le divertissement aristocratique. Ils sont les seuls à ne pas être payés... mais peut-être sont-ils les plus appréciés du spectacle!

Les tauromachies sont plus populaires à la campagne qu'à la ville où elles ont lieu le soir; de toute façon les gens peuvent les suivre à la télévision.

La Société protectrice des animaux a d'autres chats à fouetter que de s'opposer à ces corridas. Autant s'attaquer à des moulins à vent, car ces spectacles constituent subtilement une manifestation constante d'une monarchie qui ne veut pas mourir... et le peuple joue bien le jeu. Ce dernier s'en donne à coeur joie lors des fêtes populaires où les taureaux sont lâchés dans les rues...

C'est ainsi que les "petits" jouent aux "grands" et tout le monde est content.

CHAPITRE DEUX

Découvrir l'enfer au Maroc

18 septembre 1982

6e jour

La chaleur de l'Afrique me poigne au cou comme pour m'étrangler. Une limousine climatisée me transporte tranquillement d'un aéroport super-moderne vers le cauchemar du Tiers-Monde. Le centre-ville de Casablanca m'en impose avec son atmosphère de sulfure. Je venais de découvrir l'enfer...

Le Maroc, c'est aussi le monde musulman, les pickpockets, les femmes voilées impossibles à photographier, les garçons de douze ans qui se prostituent pour quelques "dirhams" et les attentes de six heures pour un simple coup de téléphone à Montréal. Dire qu'il faut une heure rien que pour téléphoner au voisin d'en face! J'ai dû rapidement développer en moi de très grandes capacités en ce qui concerne la patience.

Dans ce pays, les parasites de terminus se bousculent sur les arrivants, ils essaient toutes les langues: italien, allemand, français. À les entendre, nous sommes tous frères et très gentils. Ils commencent par te proposer des peintures, des sculptures, de l'artisanat; alors tu dis non, même sans regarder. On te propose donc des clubs, des discothèques, des filles ou des garçons; il y en a pour tous les goûts, mais à force de s'entendre dire "pas intéressé", ils finissent par te passer sous le nez toutes les drogues imaginables, ça n'en finit plus... Mais Mario n'a pas de vices... Enfin Radio-Canada n'a pas prévu de budget à cet effet.

Je me suis énervé, il était onze heures le soir. J'ai crié: "Non, non, ça suffit". Mon gars s'est tout de suite mis à hurler dans toute la rue "Tu es un faux frère, je te tuerai, tu ne t'en sortiras pas comme ça, j'ai des amis. Shit! I will kill you man!" Du coup, je me suis enfermé quatre jours à l'hôtel, pratiquement sans sortir. C'était le choc culturel.

- Quatre jours d'isolement -

J'ai passé quatre jours en réclusion pour en finir avec les commentaires et l'envoi de mes deux premiers films du Portugal! Quatre jours à essayer de communiquer avec Paris et Montréal entre mes sessions de lessive, car je portais toujours le même linge depuis deux semaines! Quatre jours pour apprivoiser un pays, un continent!

Mais ce n'est pas en l'espace d'une semaine qu'on peut changer quelque chose aux moeurs d'un pays. J'ai dû m'endurcir, marchander avec quatre taxis avant de faire une course. J'ai même fini par réconforter un voyageur qui, tout déboussolé comme moi, arrivait de l'aéroport. C'était un Éthiopien débarquant pour la première fois au Maroc. Même sur son propre continent, il n'a pu échapper au choc culturel, au contact de ce coin interlope de Casablanca. Cette expérience que j'ai vécue n'est pas nécessairement celle qu'un touriste averti doit subir. Comme vous le constaterez dans la suite, il y a du positif dans ce pays.

- Tout sur mes fiançailles -

J'étais dans le pays d'origine de Georges Amar. Il m'avait proposé un sujet développé par l'UNESCO à propos de la magnifique ville de Fès.

Cherchant l'inédit, la Chambre de Commerce française m'a déniché un professeur allemand spécialiste du domaine culturel. J'ai surpris sa femme en train de restaurer leur jeep. J'avais apparemment affaire à deux mordus de l'exploration. C'était chouette!

Ils m'ont consacré un après-midi à me parler des Berbères, ces autochtones du Maroc qui vivent dispersés dans "l'Atlas", une chaîne de montagnes couvrant l'est du pays.

Avant l'hiver, ils se réunissent autour d'un grand marché dans le désert, plus précisément à IMILCHIL. Heureuse coïncidence, cette réunion a lieu exactement pendant ma semaine de tournage.

C'est à cette occasion que les jeunes filles, libérées par un divorce permis dans la religion musulmane, se choisissent ouvertement un nouveau mari. Elles n'ont qu'à pointer du doigt une "victime" et le tour est joué. Il est rare qu'un homme refuse.

Je me suis rendu là-bas au moyen de quatre transports différents... C'était à plus de huit cents kilomètres. Et l'inévitable s'est produit. Cherchant un abri aux bourrasques de sable sous une tente berbère, il s'est créé une sympathie générale autour de moi, pendant que mon "walkman" jouait les airs sur lesquels ils avaient dansé la veille... Émerveillement.

Sur le coup, une Berbère me fait le geste magique... Du doigt, elle me fait comprendre que je suis l'heureux élu... Ne pensant qu'à mon film et aux images inédites que je pouvais entrer, je me surprends alors à jouer le jeu. Pourquoi pas?... J'ai appris par la suite que je n'avais qu'à revenir l'an prochain avec mes quatre chameaux pour prendre possession de ma Dulcinée... Non mais vous me voyez avec une Berbère ne parlant qu'arabe?

Le bilan de cette extraordinaire aventure au coeur du pays: des images inespérées, des visages illuminés de tatouages colorés et dans les studios européens, une critique élogieuse. Je fus deuxième au classement de la semaine avec soixante-dix-neuf sur cent vingt. Radio-Canada a poussé un grand soupir de soulagement, et on s'est mis à croire à une remontée possible pour moi.

L'histoire ne pourra jamais dire: "ils se marièrent et eurent beaucoup d'enfants", mais je peux affirmer que ces presque fiançailles m'ont porté chance et ont tenu leur promesse, j'entends au niveau de la Course. En quelques jours, et en quelques films, je suis passé de l'enfer au vestibule du paradis.

Les murs de cette chapelle sont recouverts de crânes et d'ossements. (Portugal)

Voici la jeune berbère qui m'a choisi comme futur époux. Nous sommes entourés de sa famille.

COMMENTAIRE FILM TROIS
GRAND MOUSSEM A IMILCHIL

C'est dans ces montagnes, ces vallées et ces plateaux que vivent les Berbères. Ils étaient là bien avant les Arabes du VIe siècle. Installés dans les forêts du Moyen Atlas et les plateaux désertiques du Haut Atlas, leurs KSOURS, ces villages fortifiés, construits avec la pierre des montagnes, se confondent aux paysages d'où ils sont issus.

Bergers ou Barbares, peu importe l'origine de leur nom, ils sont éparpillés comme des îlots au coeur de cet océan qu'est l'Atlas marocain.

Puisque l'hiver est très dur sur ces terres arides, à l'automne ils se donnent une dernière chance de mettre en commun le fruit du labeur de toute une année et s'approvisionnent de grain, de céréales, d'épices, d'étoffes et même de quelques cassettes disco...

Ils sont trente mille nomades arrivés de partout à dos de mulet et de chameau... Ils posent leurs tentes de poil de chèvre, près du village d'Imilchil et pendant trois jours font jaillir la vie de la pierre. C'est le Grand Moussem, la fête, mais avant tout le Grand Souque.

On marchande les dernières réalisations de l'art berbère. Les bijoux, les théières et les fameux tapis de laine vivante. On préfère le troc... que faire avec de l'argent dans ce pays...

Entre les ventes, on se réunit en famille autour de la boisson nationale; un bon thé marocain bien sûr... enrichi de menthe et de diverses essences; il est toujours bien sucré... Le thé est à point (bouillant), on le sert aux invités sous la tente.

Le Moussem, c'est aussi la rencontre de cultures. Les "Aït HADDIDOU", la tribu hôtesse, partagent leur précieux folklore traditionnel avec leurs voisins des quatre points cardinaux... Ils chantent la joie, les querelles de terrain, la dernière récolte et surtout l'amour et l'attraction des êtres.

Certaines tribus sont apparemment moins subtiles que d'autres. Mais gardez-vous de vous faire dévisager par une de ces femmes au visage dévoilé... Elles se cherchent toutes des maris: Le Moussem c'est aussi la "FOIRE AUX FIANCÉS"...

La légende des deux lacs Tislit (le fiancé) et Isli (la fiancée) est à l'origine de cette fête.

Ces étendues d'eau auraient été formées par les larmes de deux jeunes dont l'amour était interdit par l'appartenance à des tribus rivales: Roméo et Juliette au désert.

C'est le ballet des regards... Les jeunes femmes de quinze à vingt-cinq ans portant des coiffes en cône ont déjà été mariées par leurs parents. Libérées à la suite d'un divorce facile à obtenir dans ce pays, elles choisissent désormais elles-mêmes l'heureux... ou le malheureux élu.

Très jeunes les Berbères se couvrent d'un maquillage permanent qui attire les regards... Pendant toute la durée du Moussem, elles tâtent le terrain, lancent quelques sourires... se frôlent aux garçons des autres tribus.

Et une fois que la foule est distraite par la clôture des festivités, loin des danses et des cérémonies officielles apportées par l'Islamisme, loin

Dans l'autobus qui menait à Imilchil. (Maroc)

des remises de prix aux éleveurs modèles... derrière la Dune, on se fiance officiellement sous l'oeil vigilant du représentant du roi.

On parle de la nouvelle famille, du travail quotidien et bien sûr c'est la présentation aux parents. On est d'accord pour se marier au printemps.

Le Moussem d'IMILCHIL est un rassemblement très important pour la survie des Berbères, et pas seulement aux niveaux matériel et culturel...

Tant qu'il n'y aura pas de moutons noirs, il y aura toujours de nouveaux petits Berbères dans les montagnes!

CHAPITRE TROIS

L'Algérie avec vingt dollars

Le 2 octobre 1982

20e jour

Le Maroc et l'Algérie: deux pays qui sont comme chien et chat, deux pays qui se boudent et se battent pour un morceau de désert, deux pays voisins dans le Maghreb.

L'un des miracles de **la Course,** c'est de se faire transporter d'un pays à l'autre, de se voir confronter soudainement à un régime tout à fait différent. Les Algériens ont les mêmes traits de visages que les Marocains, à cette seule différence que ces derniers sont régis par la Monarchie et les premiers par le Socialisme. Je n'ai jamais été tenté de faire de la politique durant ma course, et ce n'est pas maintenant que je vais commencer. Cependant, je ne peux m'empêcher de constater qu'après l'enfer du Maroc, je me suis laissé séduire par l'illusion du paradis en Algérie.

- Un rhume politique -

Aucune ligne aérienne ne respecte la liaison Casablanca-Alger: c'est le boycot des relations internationales. J'ai dû passer une nuit de transit à Paris, dans le froid automnal, avant de me replonger dans le four de l'Afrique. Un léger détour qui multiplie juste quatre fois la distance réelle, en me faisait perdre toute une journée! De surplus, c'est embarrassé par une grippe naissante que j'ai dû affronter les douaniers algériens. Voici cet incident: il faut dire qu'après seulement trois semaines de course, nous avons encore cent vingt-cinq bobines cordées dans nos valises... Monsieur fait de l'exportation? de s'exclamer un premier douanier. Il fallait payer une taxe, décrire tout mon matériel, sortir les factures... J'en avais déjà trop dit. Mais là où je les ai tous inquiétés, c'est quand je leur ai annoncé que je n'avais que vingt dollars pour tout mon séjour. J'étais "cassé", car je venais de faire trois semaines avec mon allocation de deux semaines, six cent trente dollars m'attendaient dans une banque algérienne, mais cela jen'ai pas osé le leur dire. J'ai attendu deux heures que le personnel puisse changer pour m'adresser à un second douanier moins zélé. J'avais modifié mon histoire: je n'ai eu qu'à laisser l'une de mes valises contre un bon de réclamation. Je la retrouverais avant de quitter le pays. J'étais maintenant le bienvenu en Algérie.

- Cinq jours avec vingt dollars -

À la sortie de l'autobus, en plein coeur d'un centre-ville trop petit, un Algérois m'offre son aide. Méfiant et aguerri, je refuse. Il insiste et se met à courir après mes valises. Je ne veux plus vivre le harcèlement qui m'a choqué au Maroc. Mais finalement, il n'avait pas l'air dangereux; c'est lui qui m'a conduit vers la banque. Celle-ci, étant fermée pour quatre jours, cela m'obligeait à ne toucher mon argent que le jour de mon départ d'Algérie. Entre temps, je devais tourner mon film: le problème devenait complexe.

Benamar, mon hôte s'est pris de sympathie pour moi, il voulait me prêter de l'argent. C'était un jeune homme de dix-neuf ans, technicien en informatique à la Sonatrac, compagnie pétrolière aidée par le Canada. Il m'a fait une place dans sa minuscule demeure avec ses neuf parents, frères et soeurs. Quatre générations entassées dans un petit trois pièces.

L'arrière-grand-mère, couverte de tatouages berbères, me souriait en me montrant le peu de dents qui lui restait, sans rien comprendre de mon histoire de film. Je n'ai rien payé de toute la semaine. C'en était même gênant. J'absorbais le double de ce que mon hôte mangeait. Il m'a acheté sirop, pastilles pour la toux, et je n'ai même pas pu "casser" mon vingt dollars.

Par hasard, je tombai sur un gars de Québec voyageant en solitaire. En Algérie depuis un mois, il n'arrivait pas non plus à dépenser son argent. Comme moi, il couchait chez des gens, dans une maison trop petite. De toute façon, il n'y avait pas un hôtel de libre à Alger. La ville est conçue pour cinq cent mille personnes, et on en retrouve trois millions. Je conserve le souvenir d'un accueil qui restera inégalé dans tout le reste de la course, car malgré les problèmes de leur pays, les gens savaient sourire et accueillir. J'avais l'illusion du paradis.

UN MIRAGE

À la frontière du Sahara, il existe un village complet installé pour fonctionner à l'énergie solaire. Tel était le sujet que j'avais préparé d'après mes lectures des projets de l'UNESCO. Après avoir reçu une confirmation des Nations-Unies à Alger, j'ai fait dix heures d'autobus dans le désert pour ne découvrir qu'une misérable pompe solaire qui ne fonctionnait qu'à moitié. Je me suis fait avoir par des gens qui croyaient tellement en leur projet qu'ils m'ont envoyé sur place en toute naïveté. Ils étaient aussi sans doute avides de publicité. C'est ainsi que je me suis retrouvé devant un beau mirage que mon objectif ne pouvait capter. Je suis reparti les mains vides sans film.

De retour à Alger, comme je me trouve au coeur d'une famille, j'ai décidé de tourner un film sur le problème de l'habitation, plus particulièrement dans la vieille ville: La Casbah. Résultat: soixante-dix sur cent vingt, quatrième au classement de la semaine, huitième au classement général. Le directeur de la course avait dû lire mon commentaire, étant donné que la cassette envoyée à Paris était inaudible, à cause de difficultés techniques. C'était la dernière fois que j'utilisais ce magnétophone de malheur.

COMMENTAIRE FILM QUATRE
CASBAH D'ALGER

Ce ne sont pas des scènes d'El Asnam, ni d'un autre cataclysme. Le berceau de la ville d'Alger, ce labyrinthe turc du XVe siècle abrita le F.L.N. (Front de Libération Nationale) pendant la Révolution, truffé de petites ruelles que seuls les Algérois connaissent. Les Français n'avaient aucune chance de pacifier durablement ce château fort.

La Casbah cache encore les commerçants, les artisans, qui continuent à faire revivre les images du passé. Construite sur un sol friable, la vieille cité n'est pas à l'épreuve du temps; surpeuplée, infestée de gamins (car la guerre a perdu leurs grands frères), elle soulève un problème que l'on retrouve maintenant à la grandeur d'Alger-centre où trois millions d'habitants se disputent l'espace vital.

Quatre générations se partagent la salle commune. La Casbah contient la plus incroyable concentration humaine du pays dans des conditions sanitaires qu'envierait tout rat moyen. C'est pourquoi on vient d'évacuer la moitié de la Casbah.

À mesure que les H.L.M. sont prêts, on dirige le troupeau vers les cités champignons de banlieue; elles ne font que déplacer le problème de l'habitat à Alger (Exode rural et explosion démographique convergent depuis vingt ans vers l'actuelle crise du logement).

Au moins, la Casbah sera sauvée. Complètement vidée, on la reconstruira d'ici cinq ans, mais personne ne garantit une sauvegarde de son cachet ancestral. Ce ne sera plus qu'un jardin, un grand musée à ciel ouvert... et les enfants d'Alger ne seront peut-être plus demain que des statues de cire.

CHAPITRE QUATRE

Au Nigéria: vivre le danger du marché noir

NIGER, NIGÉRIA, GHANA

7 octobre 1982

25e jour

En l'espace de cinq jours, j'ai connu l'absurdité des pénuries, la rigueur du couvre-feu, l'aberration de la corruption et le plaisir du marché noir. Ça ne lâchait pas, décidément tout m'arrivait en début de course. Avec tout ça, je n'ai pas eu le temps de tourner un film. J'étais beaucoup trop occupé à en vivre un autre, un vrai film de fiction cette fois...

Seule l'ombre des nuages venait troubler l'étendue plate et désertique du Sahara, que je venais de survoler. J'étais hanté par l'idée de me faire soudainement arrêter avec ma caméra, comme un candidat de la course il y a deux ans, qui s'est retrouvé en prison avec son matériel confisqué. Le gouvernement militaire au pouvoir au Ghana ne tenait pas à ce qu'on propage, surtout à la télévision, une mauvaise image de son pays. Pour filmer et être en loi, ça prend des "tonnes" de permis qu'il faut un temps fou pour obtenir, et encore avec beaucoup de pots-de-vin. Comme dans ces conditions de chaos politique, j'avais plus de chance de trouver un sujet traitant de la misère ou des problèmes sociaux, on m'avait à l'oeil.

L'Afrique noire fut donc pour moi une étape sans film, une période extrêmement importante dans le cheminement du globe-trotter que j'étais. Reine Malo n'en a presque pas fait mention à la télévision. Dans nos films, on ne présente que la pointe de l'iceberg. Il nous est donné de vivre des tas d'expériences qui ne peuvent être fixées sur une pellicule.

Le Niger c'est l'Afrique francophone, un pays qui vit au rythme de son fleuve. Il y a des gens souriants qui vivent dans une capitale semblable à n'importe quel village québécois, avec un rond-point pour tout centre-ville. J'y ai tourné deux demi-films: d'abord sur un marché de récupération et ensuite sur la descente des pirogues le long du Niger, au printemps. Je ne les ai jamais envoyés à Paris, pour qu'ils soient diffusés. Avec si peu d'images, je ne voulais pas répéter l'expérience du Portugal.

Le Nigéria et le Ghana, c'est l'Afrique anglophone. Je n'ai pas eu le choix; même dans un pays sous-développé, je ne pouvais rien faire avec seulement quarante-cinq dollars par jour, à cause du taux officiel de change. Je devais flairer en direction du marché noir. Au Nigéria, on peut avoir cinquante pour cent de plus à l'échange des devises. C'est intéressant mais dangereux! J'ai appris à repérer les porteurs d'hôtels, les taxis... ils veulent avoir des dollars américains et sont prêts à payer le gros prix.

Mais c'est au Ghana que le marché noir prend des proportions tout à fait exubérantes. Au taux officiel, on a trois "cedis" pour un dollar, alors qu'on en a vingt sur le marché noir. En route vers le centre-ville d'Accra, la capitale, le chauffeur de taxi m'a mis sous les yeux un coffre à gant débordant de liasses bien cordées. Ça été la première image que j'ai retenue de ce pays. Le marché noir ici est défendu, mais très toléré.

Au lieu de payer un hôtel cent dollars tel que cela s'annonçait, j'en ai payé quinze pour une chambre quand même assez confortable, avec un lit d'eau, s'il vous plaît!

AU GHANA, UN AÉROPORT AUX POURBOIRES DE LUXE

Ma deuxième image du pays, ce fut celle, horrible, du couvre-feu. J'étais tellement fatigué à mon arrivée la veille, que je n'avais pas ajusté ma montre à l'heure du pays. J'ai failli faire la gaffe de sortir de l'hôtel une heure avant le lever du couvre-feu, le lendemain matin. On me l'a fait remarquer juste au moment de mettre le pied hors de l'hôtel. Le couvre-feu au Ghana, ça ne pardonne pas. Même aux étrangers, tout peut arriver. On m'a dit qu'ils tirent à vue! Il faut bien que les militaires fassent de l'exercice pour se tenir en forme. Dans ce pays où la proportion de blancs est la plus faible au monde, les seuls mots de français que j'ai entendus furent des recommandations à partir le plus tôt possible. Comme j'avais accumulé une semaine de retard au Maroc, j'ai décidé de rattraper le temps perdu en supprimant la semaine que je devais passer en Afrique noire, afin de voir Rio le plus tôt possible.

Mais, il fallait d'abord sortir du Ghana! J'ai vécu une attente de six heures à l'aéroport, l'estomac aiguillé vers une cafétéria tarie par les pénuries. Seule la vision d'un "frigidaire" rempli de petites bouteilles de Coka à deux dollars réussissaient à me faire rêver! Six cents personnes se ruaient vers les comptoirs pour enregistrer leurs bagages et sortir du pays. Il n'y avait aucun siège réservé; premier arrivé, premier servi. Comme j'étais blanc, je ne pouvais m'en sortir sans "graisser" mon billet d'avion. Me croyant très généreux, j'ai commencé par glisser soixante dollars à ces préposés aux billets. Ils se sont passé mon billet d'une personne à l'autre, dans un parfait rituel! Je l'ai même perdu de vue pendant une demie-heure. Cela n'a pas marché; il fallait que je mette quarante dollars de plus. "Pas de problème, tout va bien; tu vas partir", m'ont-ils annoncé avec empressement.

J'étais nerveux, car j'étais sur le point de manquer ma correspondance pour Rio, et il n'y en avait qu'une par semaine. Je ne pensais plus au fait de ne pas avoir mangé la veille, je ne connaissais plus la valeur de mon argent, j'étais très loin de mon lit d'eau! Ils finirent enfin par me faire monter à la dernière minute, et je réussis à me rendre à l'aéroport du pays voisin qui assurait la liaison avec Rio, au Brésil.

Tout à coup, au beau milieu de mes déboires surgit une apparition, un flash, un visage familier: c'est Anne Christine Leroux par hasard au même aéroport... Après un mois, c'était le premier candidat de la course que je rencontrais. Elle me donne le nouveau pointage de la semaine, nous étions aux antipodes du classement; elle, première, et moi le dernier. Comble de coïncidence, elle partait aussi pour Rio sur le même vol. Toute la tension accumulée en Afrique s'est dissipée au cours de ce long vol de dix heures, nous transportant d'un continent à l'autre. La course continuait de plus belle.

CHAPITRE CINQ

Coup de foudre en Bolivie

Le 14 octobre 1982

33e jour

Enfin, l'Amérique du Sud. Après deux merveilleuses journées en transit à Rio de Janeiro, j'atterris sur la capitale la plus élevée du monde: La Paz.

Un aéroport bordé de nuages, une ville couchée à flanc de montagne. La paix de "La Paz", c'est le calme après la tempête et c'est le coup de foudre.

La capitaine était ensoleillée. Il faisait trop beau pour travailler. J'avais le goût de fureter dans cet immense village aux rues pavées, jonchées de petits kiosques à sucreries, où je me procurais du chocolat suisse chaque matin... jamais au même prix!

Ces gens à la peau tannée et au visage tout rond me fascinaient avec leur costume traditionnel de style maya, leur chapeau melon et leurs cheveux tressés. Non, ce n'était pas une fête spéciale, même en ville c'est l'habillement de tous les jours.

La Bolivie fait partie des pays que j'ai le mieux appréciés, car c'est encore un pays sauvage à l'écart des circuits touristiques. Personne ne vient ici car le pays est coupé de tout. Pris entre l'Amazonie et la Cordillère des Andes, il n'y a aucune plage.

Instable, la Bolivie change de régime politique un peu comme elle change de température! Au moment de mon arrivée, la démocratie régnait seulement depuis quatre jours! En Bolivie, avec l'altitude, l'oxygène se fait si rare que le moindre effort, aussi banal que l'ascension des deux seuls escaliers me séparant de ma chambre d'hôtel, suffisait à m'étourdir à tout coup. Cependant, le climat vif de la montagne me stimulait et me rappelait l'automne québécois. J'étais bien.

L'agent d'Air France, qui s'extasiait à contempler mon billet aux trente-six vols, m'a aiguillé vers un cinéaste-écrivain fraîchement arrivé d'une tournée de festivals en Europe. En deux rencontres, ce cinéaste m'a dessiné un portrait complet des costumes, traditions et activités de la saison. Sa femme m'a, entre temps, initié à la mastication des feuilles, ainsi qu'au thé de coke, plante médicinale cultivée dans le pays à flanc de montagne et avec laquelle on prépare la fameuse cocaïne. Cette drogue est trafiquée illégalement à la grandeur de l'Amérique.

Je m'étais préparé à tourner un film sur les mineurs de tungstène, suite à une lecture dans le magazine GEO, mais ça prenait une semaine seulement pour s'y rendre! On m'a alors proposé de tourner sur les chercheurs d'or à ciel ouvert dans la forêt tropicale pré-amazonienne. J'y étais attiré comme par une amazone!

Parti des hauts plateaux, j'ai dépassé la frontière des nuages, j'ai été trimbalé debout dans deux autobus, puis dans un camion. C'était comme au temps de mon film sur les Berbères. Je vivais une terrible aventure rien qu'à me transporter au lieu du tournage.

Une fois rendu, j'ai été presque déçu; un village de mille cinq cents âmes qui n'a l'air de rien, des rues de terre mal tapée et de surcroît, ils font leur lessive dans une rivière boueuse. Peut-être attendent-ils encore que l'or vienne se greffer en paillettes à leurs vêtements! Alors, je me suis mis à chercher comme eux...

J'ai découvert cette machine qui drague le sol de la rivière vingt-quatre heures sur vingt-quatre, cette coopérative qui gruge la montagne toute entière et ces chercheurs d'or qui agitent le traditionnel plateau rond sur le bord de la rivière dans l'espoir de faire fortune.

Ce village qui n'avait l'air de rien comptait tout de même sept bijoutiers de luxe, cinq cinémas à planchers de terre, autant de brasseries et de petites boutiques de tous genres. Et c'est à ce seul endroit, perdu en Amazonie, où l'on m'a demandé quatre copies vidéo de mon film! Oh! Paradoxe suprême.

Trois jours après mon retour à La Paz, j'apprenais par téléphone que Paris n'avait jamais reçu mon film. C'était le premier court-circuit de communication dont j'étais victime. Cela m'a obligé à tourner immédiatement un autre film pendant ma semaine de congé! Je n'avais plus une seconde à moi.

Des recherches intensives ont été faites, et j'ai appris un mois plus tard que mon film traînait dans une poubelle d'Aéro-Pérou. Enfin acheminé à Paris, il devint mon premier film de réserve au cas ou un autre pépin surviendrait.

J'avais adoré la Bolivie… et j'y resterais de force une semaine de plus. Ce n'est pas grave me disais-je, je ferai sauter le Pérou.

Dans la forêt tropicale pré-amazonienne, cette Bolivienne fouille la rivière boueuse à la recherche d'or.

Sur le fleuve Niger, en pirogue.

À l'intérieur de la mine. (Bolivie)

COMMENTAIRE DU FILM CINQ
(Réserve 1)
CE QUI DORT DANS LA BOUE

Le village de Guanay se trouve à la rencontre des rivières TIPUANT et MAPIRI... Ces rivières transportent depuis des siècles les petits morceaux de soleil que cachent les vallées tropicales de Bolivie en amont de l'Amazone.

Dans la région du Yuncas, quatre-vingt-dix coopératives de mineurs aplanissent le paysage vingt-quatre heures par jour et en moins de six mois nous passent une montagne complète au tamis... C'est la fièvre de l'or.

Pendant que l'eau n'est pas trop haute, à la saison sèche, les campements de fortune germent tout le long de ces vallées aurifères. Avec un coup de chance on pourra devenir riches et même se faire faire des bijoux et enfin partir vivre en ville les poches pleines d'argent. Mais ce ne sera jamais le sort d'un ouvrier de la coopérative.

Les chercheurs d'or se divisent en trois groupes. Les Baranquilleros du bord de la rivière qui viennent porter leur trésor à la banque des minéraux et qui peuvent aussi bien passer une semaine sans manger... Les gars de la coopérative qui font leurs huit heures quotodiennement sans jamais toucher au métal précieux... Et les compagnies privées qui s'infiltrent en exploitant pour trois fois rien, ceux qui n'ont jamais eu de chance.

Mais l'or possède-t-il une âme qui lui permette de développer un tel culte?...

Peut-être, s'il permet aux jeunes du village d'aller à l'école, de connaître leur histoire et d'avoir un avenir meilleur... oui. Peut-être, s'il permet à chacun d'avoir au moins un toit, un chez-soi... oui.

Et s'il amène l'électricité dans ces régions sauvages?... s'il permet aux femmes d'être coquettes, pourquoi pas? Est-ce que l'or rapproche les gens ou s'il creuse un fossé d'indifférence entre eux?

Ce riche village sera bientôt rasé, transmuté en désert. Tout ce que touche la machine de la coopérative se transforme en pierre sans vie, et personne n'est assez puissant pour l'arrêter.

L'or donne heureusement au chercheur la chance de s'évader et de rêver. Il permet à l'ouvrier d'oublier qu'il ne lui restera qu'un maigre dollar en poche à la fin de sa dure journée... Et il ira le boire aussitôt le travail terminé, car il n'y a rien d'autre à faire ici.

Non, l'or n'a pas d'âme, il n'a qu'un prix. Et ceux qui ne peuvent pas se le payer passeront toute leur vie à chercher le bonheur dans la boue.

CHAPITRE SIX

La Bolivie… Une mine à découvrir

Le 25 octobre 1982

44e jour

La Bolivie traverse actuellement une crise économique sans précédent. Le plus gros billet de banque en circulation, celui de cent pesos, ne vaut pas plus que quarante-sept sous. Il fallait être témoin de la scène au moment où j'ai échangé mes cinq cents dollars pour obtenir cent sept mille cinq cents pesos... Plus de mille petites coupures que je devais dissimuler dans mon sac d'équipement, entre les caméras, les films et les lampes. Le préposé à la caisse s'est même vu obligé de m'offrir un sac en papier pour transporter les liasses. Je me suis surpris à sortir de la banque avec des "gallons" d'argent liquide.

La Bolivie fut une des étapes qui m'a coûté le moins cher. J'étais heureux d'y rester une semaine de plus, car je me payais de véritables festins à deux dollars en ville, ou à soixante-quinze sous à la campagne. J'ai même fait une heure d'avion qui m'a coûté à peine dix dollars... Il fallait voir cet appareil. Un "coucou" à dix-huit places, dans lequel les pilotes se retrouvaient assis avec les passagers, pendant que les hôtesses restaient sur la piste pour nous regarder décoller... Mon premier vol à bord d'un aéronef à hélices.

LES MINES DE POTOSI

Je m'éloignai de mille kilomètres de la capitale, pour atteindre Potosi, une ville qui fut considérée comme le nombril du monde et qui, au moment de la conquête espagnole, était plus célèbre que Paris et Londres. Il y avait tellement de minerai d'argent dans les vallées de Potosi, qu'on aurait pu construire un immense pont en argent massif, reliant cette ville d'Amérique du Sud avec Madrid en Espagne, nous dit la légende.

Mais aujourd'hui, il n'y a plus un gramme d'argent; alors, on s'est mis à chercher de l'étain. Une autre folie. On travaille vingt-quatre heures sur vingt-quatre dans des conditions déplorables, car la Bolivie tient à garder son titre de deuxième producteur mondial, avec une main-d'oeuvre bon marché... Je voulais faire un film sur les mineurs!

Dans l'avion de Potosi, j'ai eu la chance de rencontrer deux banquiers, avec lesquels j'ai fini par passer la soirée, car nous avions choisi le même hôtel. Épaté par "les aventures de Tonton Mario autour du monde", l'un d'eux m'introduisait dès le lendemain matin auprès des cadres d'une importante société minière. Une demi-heure plus tard, on me présenta un ingénieur qui ne parlait pas un traître mot de français ni d'anglais, un homme dans la cinquantaine avec qui j'ai fait trente kilomètres de jeep entre les montagnes et les troupeaux de lamas.

Les lamas de Bolivie.

À 300 MÈTRES SOUS TERRE

Aussitôt arrivé à la mine, on m'a équipé de la tête aux pieds: bottes, gants, ceinture de piles, casque et lampe. Guidé par un électricien avec lequel il n'était pas plus facile de communiquer, j'ai commencé ma descente dans les entrailles de la terre.

Il faisait noir. Nous traversions des galeries toutes plus étroites les unes que les autres. Je vivais des moments extraordinaires; j'étais dans le ventre d'une montagne et j'avais l'impression de m'approcher du coeur de la terre... Je l'entendais, petit à petit. Son battement régulier devenait de plus en plus fort. Le bruit montait à mesure qu'on s'enfonçait... C'était les travailleurs du milieu qui récupéraient le minerai du fond de la mine.

Je fis comprendre à mon guide que je voulais descendre encore plus bas; j'étais curieux. Il avait l'air contrarié car on devait emprunter une échelle en fils de fer lancée dans le vide avec tout le précieux équipement de tournage, et il devait se sentir responsable de tout ça...

Une fois dans les bas-fonds, on se mit à charcuter la boîte électrique et à arrêter le compresseur à air, pour arriver à brancher ma lampe. Mille watts qui venaient violer tout le mystère de cette galerie! C'était fantastique; pour la première fois, ces travailleurs voyaient l'exiguïté de leur milieu de travail.

Cet environnement s'est transformé en véritable plateau de tournage, pendant l'heure qui suivit. En parfaits collaborateurs, ils ont fait tout ce que je voulais. On a répété trois ou quatre fois. J'ai fait de la mise en scène, pris des photos... Toujours en ne communiquant que par gestes.

Je venais de réaliser en cinq heures, avec ma petite caméra super 8 ce qu'une équipe de télévision n'aurait pu faire qu'en plusieurs mois de préparation et de tournage, en passant par des filières officielles.

Pour ce sixième film, j'ai obtenu soixante-dix-neuf points sur cent vingt, j'étais le troisième de la semaine, mais toujours le huitième au classement général. Un mois plus tard, un club UNESCO de France m'a manifesté le désir d'emprunter ce film, afin de partir un projet d'aide aux mineurs Boliviens dès l'automne 1983.

Je crois que c'est la meilleure récompense que puisse recevoir un candidat au cours de son périple. Mes images avaient plu et convaincu des gens. La communication était réussie.

Une hutte de mineurs en Bolivie.

Les catacombes de Potosi. Il y a moins de mineurs enterrés dans ces catacombes qu'il y en aurait de morts dans les mines boliviennes.

COMMENTAIRE DU FILM SIX CENT COUPS DE PIOCHE POUR UN PESO

Les catacombes à ciel ouvert de Potosi contiennent plus d'un million de cadavres entourés d'un culte, d'une attention dont plusieurs vivants seraient jaloux. Mais il y a moins de corps dans ce cimetière que dans la montagne qui le surplombe: le mont ORKO emprisonna huit millions d'hommes au cours des siècles, près de deux fois la population actuelle de la Bolivie.

À la fois symbole d'une extrême richesse et de la pire misère qui soit, ce sommet de quatre mille mètres a changé le cours de l'histoire de la ville de Potosi qui fut au XVIIe siècle plus riche que Paris et Londres du temps.

Potosi fut longtemps le nombril du monde, grâce au sang qu'ont versé ceux qui, à coups de pelles et de pioches, l'ont vidée de son précieux minerai d'argent, la richesse de cette montagne. On a remplacé la main-d'oeuvre du lac Titicaca: les esclaves africains coûtaient beaucoup trop cher. Ce sont les Quéchuas, ces Indiens boliviens qui, sous la tutelle du Conquérant espagnol, ont trimé dur dans ces montagnes sans jamais en connaître la gloire. C'est là la malédiction du mineur bolivien. Par une véritable exploitation sauvage, ils ont laissé dans la vase, dans le fond des galeries, le meilleur de leur vie, leurs poumons, leur peau, leurs os. Mais les temps ont changés. Ces mines vidées de leur argent ne produisent plus aujourd'hui que de l'étain et du plomb. La Bolivie en est d'ailleurs le deuxième producteur mondial.

Le Conquérant est devenu l'Etat ou un riche propriétaire. Maintenant, les ouvriers sont maigrement payés; autrefois, ils l'étaient encore moins.

Ils travaillent encore seize heures d'affilée chaque jour à trois cents ou quatre cents mètres sous terre. Ils doivent payer eux-mêmes leur casque, ce qui représente le salaire de plusieurs jours. Ceux qui ne le peuvent pas descendront sous terre à leurs risques. On rapporte cinq accidents par jour, mais combien de dizaines se cachent derrière ce nombre officiel d'accidents!

On travaille encore dans des conditions et avec des instruments moyenâgeux, dans une atmosphère où seule une machine peut résister à la silicose. Il n'y a que quelques rares mineurs qui pourront peut-être dépasser l'âge de trente ans. Ce ne sont pas des surhommes. Le mineur souterrain lui, jouit d'une certaine sécurité; il est sûr d'avoir au moins un morceau de pain à se mettre sous la dent.

Pour le gars de la coopérative, c'est un éternel coup de chance. Tout dépendra du filon, de ce qu'ont laissé les autres... Peut-être vaut-il mieux vivre de cette façon, à l'air libre, sale, pauvre mais en santé, que de crever sous terre misérablement, encore jeune, comme un vulgaire morceau de pierre, à côté d'un autre et de tant d'autres.

CHAPITRE SEPT

La vallée des centenaires en Équateur

Lima (Pérou)

Le 27 octobre 1982

47e jour

La glace était brisée. Pour la première fois, je quittais cette maudite huitième place, car Yves Godel, le Suisse, venait d'écoper d'un pointage inférieur à ma moyenne. C'est ainsi qu'en relâche, sans même présenter de film, je remontai en septième place au classement... presque par défaut!

Lima, ce fut aussi une foule de rencontres. Nous étions trois candidats à nous retrouver, par hasard, dans le même quartier de la capitale (Mira Flores). Pour la deuxième fois, j'ai eu le Belge Alain Brunard au bout du fil, pour m'entendre dire qu'il était trop pressé pour me rencontrer. Mais Anne-Christine, la Française que je croisais aussi pour la deuxième fois, est quand même venue me rejoindre à l'aéroport, avant mon départ pour l'Équateur. C'est dans ce même aéroport que nous avons rencontré, pour la première fois, des gens qui nous avaient vus à la télévision. Ce fut d'abord un Français, puis un gars de Montréal et un autre de Saint-Tite, Yves Boulet, qui m'avait vu en photo dans le Nouvelliste de Trois-Rivières, dans un article qu'on publiait avant mon départ. De retour en Mauricie, il a eu la gentillesse de transmettre mes messages de vive voix à toute ma famille.

Guayaquil (Équateur)

Le 30 octobre 1982

49e jour

Nous étions seulement trois à descendre de l'avion, car le vol continuait vers la Floride. Le gérant d'un hôtel m'a offert l'hospitalité de son cinq étoiles à trente-cinq dollars, pour seulement dix, parce qu'il était impressionné par mon aventure, et surtout parce qu'il rêvait d'aller vivre un jour au Canada. Air climatisé, téléviseur couleur, musique, réfrigérateur et bon service, pour une fois! C'était le grand luxe et le grand repos.

Par contre, quelque chose de moins drôle m'attendait. Nous étions samedi et, dans une heure, toute la ville allait être paralysée par un congé de quatre jours. La fête des morts du début de novembre est très importante en Amérique du Sud. Tous les services publics et les ambassades que j'aurais aimé solliciter ne me seraient pas accessibles. Heureusement que j'avais un sujet.

UN SUJET PRIS SUR LE POUCE

Il y a des milliers de façons de trouver un sujet de film pour la course. Comme Radio-Canada ne payait pas mes déplacements avant la course, alors que je me préparais pour le voyage, je faisais régulièrement du "pouce" aux abords de la route 40 en direction de Montréal. J'en profitais en même temps pour faire un peu de publicité sur mes déplacements à venir. Il arrivait souvent que les gens qui me faisaient monter avaient déjà voyagé... Alors c'était l'interview en règle qui démarrait. Et au fil des conversations, on m'a parlé des "centenaires des Andes". Ce bon samaritain m'a même donné les coordonnées pour m'y rendre. Je les avais notées là, maladroitement sur un carnet de billets de métro de la CTCUM.

VILCABAMBA: LA VALLÉE DES CENTENAIRES

Une fois en Équateur, j'ai sorti mon carnet de métro pour suivre le mode d'emploi... J'ai dû consacrer vingt-quatre heures pour me rendre à Vilcabamba. Le plus difficile a été de quitter cette trop confortable chambre d'hôtel de Guayaquil, en me levant à cinq heures du matin, pour me battre avec tous et chacun, afin de me trouver un simple siège dans les "collectivos". En Amérique du sud, il y a toujours trop de gens dans les autobus et on te dit toujours de revenir le lendemain.

Mais les contrastes m'inspiraient. Je venais de laisser les entrailles de la terre où des mineurs boliviens exploités ne vivent pas plus vieux que trente-cinq ans, et j'arrive cette fois dans les hauteurs d'une vallée paradisiaque où l'on dépasse la centaine.

J'étais d'abord déçu. Il me semblait n'y avoir rien d'extraordinaire à cet endroit. Pas de route, pas un bruit, pas de fête, aucune indication touristique, rien, seulement des grands-pères souriants. Alors j'ai commencé mon enquête.

J'ai découvert des artisans qui font des outils de bois, des végétariens qui cultivent le manioc, des arbres comme il n'y en a nulle part au monde et une usine d'embouteillage d'eau de source, car des entrepreneurs de New York se sont mis à commercialiser ce qu'ils croient être une fontaine de Jouvence. J'y ai rencontré des hippies en quête de tranquillité, ainsi qu'un Russe-Polonais de quatre-vingt-douze ans qui espère finir ses jours dans ce paradis... dans quatre-vingt ans d'ici.

Au cours de recherches précédant mon voyage, j'avais appris dans un numéro du National Geographic (1972) qu'il existait trois vallées au monde, reconnues pour leurs centenaires.

J'ai pris deux jours pour tourner ce reportage. C'est aussi dans cette vallée que j'ai écrit une longue lettre que Reine Malo a pris plaisir à lire en ondes. Je leur disais à quel point j'étais heureux de vivre tant d'aventures, et les remerciait de m'avoir sélectionné. Le directeur de la course à Montréal m'a confié que de toute l'histoire de la course, c'était la première lettre de compliments qu'il recevait. Habituellement, on prenait la peine de lui écrire seulement quand il avait des problèmes...

Au pointage, je fus le premier de la semaine avec ce film, et ce résultat m'a permis de monter de la septième à la quatrième place au classement général. Reine et Richard, l'animatrice et le juge de Radio-Canada, ne le croyaient pas..., mais ils n'avaient encore rien vu... L'avenir leur réservait des surprises!

COMMENTAIRE FILM SEPT
LES CENTENAIRES DES ANDES

Trois vallées au monde sont célèbres pour leurs vieillards. Une première en Russie, une autre au Pakistan et celle-ci en Équateur. Toutes les trois ont la même altitude, entre mil cinq cent et deux mille mètres, sous une température constante variant entre dix-huit et vingt-trois degrés celsius à l'année longue.

La nature ne connaît aucune saute d'humeur, c'est un véritable incubateur où vivent une quantité incroyable de personnes âgées, mais encore toutes actives.

Vilcabamba veut dire la vallée sacrée... "Retirée du reste du monde, on y parvient par les pires routes en Équateur". Les gens d'ici ne connaissent pas le stress des temps modernes. Ils sont comme restés encore un peu sauvages.

Une vieille nous raconte:

- "Ah oui, je viens juste d'avoir mes cent vingt ans! Ha ha ha".

Sa fille réplique:

- Voyons donc maman, t'en mets toujours quinze de trop! Tu n'as que cent cinq ans.

La vieille toute contrariée: "Ciento cinco annos?"

Les gens n'ont pas tous un certificat pour prouver leur âge, mais il y a un individu dont on peut connaître l'âge approximatif. On dit qu'il aurait travaillé à la construction de l'église qui, elle, à cent vingt ans. Sa deuxième femme pourrait bien nous en parler entre deux coups de pioche; c'est encore une jeunesse après tout, elle a à peine cinquante ans de moins que son mari.

Le phénomène de ces gens qui ne savent pas mourir attire les étrangers friands de tranquillité. Ils adoptent le rythme de vie paisible de ces villageois, tous végétariens. Ils cultivent et mangent le Yuca, une racine avec laquelle ils font le Manioc.

Par surcroît, ils bénéficient d'une eau qui contient des minéraux uniques.

Si cette eau fait vivre cent ans, pourquoi ne pas en vendre? Dans un an, on pourra se payer l'eau de Vilcabamba dans tous les supermarchés équatoriens et même à New York, car des Américains viennent d'y installer une usine d'embouteillage.

Croyez-le ou pas, depuis la construction d'un hôpital à Vilcabamba, il reste quatre fois moins de centenaires dans la vallée. Pour eux, la civilisation est-elle la meilleure solution?

Plusieurs Américains, plutôt jeunes, genre hippies se sont installés ici. Ils sont bien à l'aise dans ce mode de vie.

Hippy - Yes it is calm, it is easy work. (C'est une vie pas mal facile ici).

Mario - It is the latin mentality that you like. (C'est la mentalité latine que tu aimes).

Hippy - Yes I like it because it is slow. (Oui j'aime ça parce que tout est lent ici, rien ni personne ne va trop vite).

Les gens ont peu d'ambition, il ne pensent pas plus que douze heures à l'avance. C'est la clef de la longévité.

Vieillard - I am now ninety one years old... (J'ai maintenant quatre-vingt-onze ans, et j'aime bien le coin ici, me dit un immigré polonais qui compte finir ses jours ici.

Mario - How long... (Combien de temps pensez-vous rester encore?)

Vieillard - Eighty years more... I hope! (Encore un bon quatre-vingt ans, c'est tout ce que je souhaite).

CHAPITRE HUIT

Quelques lieues sous les mers, au Mexique

Le 6 novembre 1982

48e jour

L'arrivée au-dessus de Mexico... un spectacle. C'était mon premier vol de nuit, et il y avait un tapis de lumière qui se déroulait à perte de vue sous les ailes de l'avion.

Par chance, ma bonne étoile me suivait toujours. Dans le pays précédent, en Équateur, j'avais rencontré une Française qui m'avait donné les coordonnées de sa soeur mariée à un Mexicain. Ils vivaient dans la capitale. C'était l'idéal car, d'une part, cette femme connaissait "la course" et d'autre part, le Mexicain connaissait son pays.

DIMANCHE À MEXICO

Huit heures du matin. Je fais une excursion dans les rues presque désertes de Mexico. Au milieu des tours, des buildings et des banques, j'aperçois quelques parades d'étudiants, des petits kiosques, des parcs et des églises achalandées. L'occasion est bonne pour aller à la messe pour la quatrième fois de ma course.

Dans l'après-midi, j'ai eu droit à une rencontre très chaleureuse avec ma fameuse famille franco-mexicaine. Leurs enfants, qui avaient suivi la course lorsqu'ils étaient à Paris, m'ont même fait signer mes premiers autographes. Ces gens m'ont donné en tout cinq sujets, mais très peu s'avéraient réalisables.

Le lendemain, j'ai passé la journée à frapper à d'autres portes: ambassades, délégation du Québec et magasins de photos. Ma famille d'amis m'avait parlé d'Olivério, un plongeur qui ressemblait à Neptune... Le sujet ne faisait pas très sérieux, mais aussitôt qu'on m'a fait entrevoir la possibilité de tourner sous l'eau, cela m'a plu.

Je suis parvenu à louer une caméra sous-marine pour vingt dollars à peine. Il était six heures lorsque j'eus fini la transaction; et l'avion qui me conduisait vers mon lieu de tournage décollait à sept heures quinze. Je n'avais même pas encore mon billet d'avion pour me rendre à l'endroit désigné: Ixtapa, au-delà d'Acapulco, le domaine de ce dieu des océans. Ce fut alors la course, au sens propre du mot.

SOIRÉE AU CLUB MED

Arrivé à Ixtapa, il était dix heures et je n'ai pas pu rencontrer mon plongeur immédiatement... Ixtapa est une colonie hôtelière où sont concentrés les cinq étoiles les plus dispendieux du Mexique.

Une ville-championne pour touristes!

Mon plongeur vivait ici autrefois, sur des terres vierges, jusqu'au jour où le Club Méditerranée s'est aperçu qu'il vivait sur une mine d'or... Il a été exproprié, mais on lui permet toujours de faire de la plongée dans un coin à l'écart. Cela ne le dérange pas trop, car il bénéficie quand même de clients à portée de la main.

Je rassemble donc tout mon talent de persuasion et je finis par me faire inviter au Club Med... Le Français, directeur des relations publiques, connaissait aussi la course et m'a accueilli les bras ouverts... Ce qui me gênait, c'est que j'étais parti beaucoup trop vite de la capitale avec cette histoire de location de caméra. J'avais même oublié l'uniforme réglementaire du Club Med: mon maillot de bain! Et je venais faire un film sur la plongée!

LA CHASSE AUX CORAUX ET AUX IMAGES

Olivério était un bonhomme sympathique... Avec lui, pas de problème... Il m'a mis les bonbonnes sur les épaules, m'a expliqué les subtilités du masque et de la valve pour l'air; le tour était joué. "Allez, descends ti-gars" (toujours en espagnol). Nous sommes descendus jusqu'à soixante pieds en prenant le temps, très lentement, afin de ménager mes oreilles...

Le paysage sous-marin était admirable... J'étais au Mexique, au milieu d'une mer de coraux et de poissons tropicaux! Je filmais tout et n'importe quoi. Je faisais des expériences. Je filmais Oliverio qui expliquait aux gens comment chercher des coquillages! Oliverio jouait parfois avec les poissons... C'était drôle, car ils s'approchaient seulement de lui. Comme s'ils le connaissaient.

J'ai aussi filmé Oliverio dans sa cabane. J'ai connu sa vie de tous les jours, et il m'a même déniché un costume de Neptune qu'il portait pour une pièce de théâtre... J'ai donc tourné pour le début de mon film des plans où il était déguisé en dieu de la mer.

Les juges n'ont pas été trop sévères pour mes images, parfois floues du fond de la mer. J'ai obtenu soixante-treize sur cent vingt. Je passais néanmoins de la quatrième à la sixième place, car deux autres candidats s'étaient payés, ce jour-là, des scores maximaux. De toute façon, j'étais content, car en deux heures, j'avais fait des choses qu'on ne fait normalement qu'après douze heures de cours.

Oliverio, 67 ans, le Neptune d'Ixtapa. (Mexique)

Dans la vallée des centenaires, j'ai rencontré ce jeune vieillard de 92 ans qui espère vivre encore quatre-vingt ans...

COMMENTAIRE DU FILM HUIT NEPTUNE, LE PIRATE DES EAUX

Si Neptune devait descendre au Mexique pour s'incarner dans le corps d'un mortel, il devrait lui aussi porter bonbonnes et masque de plexiglas. Et il aurait pour nom OLIVÉRIO.

Olivério, soixante ans, dix milles heures de plongée. Son abri de paille installé sur une petite île d'IXTAPA au nord d'Acapulco est devenu une légende.

Il n'a pas de carnet de rendez-vous ni d'horaire de travail. Il est simplement toujours là. Un bon Mexicain quoi!

Sans faire de publicité, les gens viennent le voir. Ils savent qu'avec lui ils pourront descendre dans les domaines que seul ce grand-père des océans a apprivoisé pendant plus d'un demi-siècle.

C'est lui qui retenait les requins lors des tournages de Cousteau dans les Caraïbes. Ce n'était même pas une question de courage, c'était l'habitude.

Il apprend aux néophytes comment dénicher, même seulement à vingt mètres, les richesses que renferme son univers. Mais à passer sa vie sous l'eau, il en a oublié les conventions. Il a tué par mégarde un de ses fils simplement en le faisant remonter trop vite à la surface. Olivério ne respecte pas ses paliers de décompression. C'est de la folie pure diront tous ses confrères, si on se permet de le comparer à d'autres plongeurs.

Oui, Olivério a quand même une famille. Mais sa femme est décédée il y a dix ans. Ses huit enfants sont dispersés à travers tout le Mexique et comble de toute l'histoire, il n'est même plus chez lui dans sa maison.

Les architectes des hôtels, les plages et les touristes lui ont échangé ce qui était son vaste domaine contre une cabane au pied des récifs. Comme un vieux coquillage on l'a balancé dans les rebuts.

Heureusement qu'il lui reste les souvenirs... la seule chose qui résiste au temps. Même les revues les plus populaires comme "Playboy", ont immortalisé ses exploits... Enfin, vivre près de la plage a un côté agréable... Pirate Va!

Non, Olivério ne vient pas du ciel; il est bien de ce monde, et même s'il ne lui reste que son chien sur terre, il aura toujours devant lui un refuge bien plus grand que ce qu'il peut avoir perdu.

CHAPITRE NEUF

Un merveilleux collaborateur aux États-Unis

Los Angeles

Le 10 novembre 1982

60e jour

J'ai bien failli ne pas pouvoir monter dans l'avion de Mexico-Los Angeles car, comme c'est arrivé cinq fois sur six au cours du voyage, je partais plus tard que prévu sur mon billet d'avion. Horaires chambardés!

Ma réservation n'étant plus valable, j'ai dû attendre une demi-heure dans une complète incertitude pour me voir enfin attribuer la place d'un retardataire.

En temps normal durant la Course, ce petit suspense fait partie du quotidien et même des règles du jeu. On finit par vivre en nomade et au jour le jour. On finit par s'accommoder de toutes les situations.

Mais, le dix novembre, il fallait que je sois à l'aéroport de Los Angeles où, pour la première fois, quelqu'un m'attendait... avec une voiture.

Daniel Vigeant était bien là... Un ami que j'ai appris à connaître pendant la sélection des candidats à la Course et qui comme moi, était parmi les quatre finalistes du concours. Lui aussi, il avait une chance sur deux de faire le tour du monde. Mais non, ce furent Georges et Mario... Alors il s'est dit: "J'irai au moins vivre une semaine de course avec Mario au moment où il sera le plus près de Montréal: Los Angeles."

Anne-Christine Leroux, Daniel Vigeant et Mario Bonenfant à Los Angeles. Une rencontre mémorable!

UN TRAVAIL D'ÉQUIPE

Daniel était arrivé trois jours à l'avance, et m'avait déjà préparé le terrain auprès des ambassades, de la délégation du Québec et des maisons de Télévision. Il se présentait comme étant l'autre candidat de la Course. Il avait même pris contact avec Anne-Christine, la candidate française se trouvant aussi à Los Angeles, et que je rencontrais pour la troisième fois.

Tout m'arrivait soudainement tout cuit dans la bouche! Daniel m'avait même déniché un hôtel dans un quartier qui a toujours hanté ma jeunesse. Nous étions, en effet, près de Sunset Boulevard, au Y.M.C.A. Hollywood.

Au Québec, m'a-t-il raconté, l'enthousiasme accompagnait mon ascension. C'est à ce moment que Reine Malo, l'animatrice, m'a contacté afin d'enregistrer en direct, une conversation téléphonique pour Radio-Canada. J'étais très heureux d'entendre sa voix... Dites-moi, qui ne le serait pas? Une conversation beaucoup trop courte, comme tous les interurbains de la Course. J'aurais voulu que ce beau rêve ne finisse pas... Mais on m'a tout de même laissé le temps de saluer les gens de Trois-Rivières!

June Powers

Hours: Mon-Fri 9am-6pm
Sat 9am-1pm
Closed Sun & Major Holidays

Holiday Hotel for Cats

"The Waldorf of the Feline World"

2327 Cotner Ave.
West Los Angeles, CA 90064

(213) 479-1440

FVR-CP Vaccines Required For All Cats 822-8086

Velvet Harbor
for Cats
BOARDING & GROOMING

7009 WILLOUGHBY
HOLLYWOOD 90038

BY APPOINTMENT
(213) 874-9817

Virginia English

WESTSIDE PET HOTEL
633 N. Lapeer Dr.
Los Angeles, Ca. 90069
274-8237

Murray Teitelbaum

DES CHATS PACHAS, À LOS ANGELES

Avant de partir, on m'avait parlé d'un hôtel très spécial pour chats. Déjà, un hôtel, cela sort de l'ordinaire. Mais ici, à Los Angeles, on allait même jusqu'à reconstituer une pièce complète de la maison où le chat a l'habitude de vivre; question de ne pas trop dépayser l'animal, pendant que ses maîtres prennent leur congé de l'Action de Grâces.

C'est dans un bureau prêté pour la semaine par la délégation du Québec, que j'ai amorcé mes recherches à coups de téléphone. Pas facile; personne ne connaissait mon fameux hôtel pour chats. Par contre j'ai découvert autre chose; un camp de plaisance pour animaux situé dans les montagnes, à deux cents km de Los Angeles. Cela me paraissait encore plus "sauté"!

Comme j'avais loué une voiture, j'ai mis très peu de temps à me retrouver à flanc de montagne, dans de petites routes en lacets. On voyait la neige sur les sommets. "Mountain Center" était un petit village sympathique qui faisait très "western". Mais une fois de plus, je me suis fait avoir! Les plans indiquaient huit bâtiments pour chiens et chats, une écurie, une piste, ainsi qu'un lac artificiel. Mais surprise, il n'y avait guère plus de trois bâtiments; tout était en construction. Une partie du terrain n'était même pas encore défrichée. Cela ressemblait à une terre à bois qui vient de passer au feu. J'ai dû rentrer à Los Angeles le soir même, afin d'éviter de payer un deuxième hôtel pour la même nuit.

Le lendemain matin, j'ai changé de tactique. Avec l'aide des pages jaunes, j'ai sondé tous les Pet Shop de la ville pour finalement trouver des maisons de pension pour chats, que les Américains prennent plaisir à appeler hôtels. Pas de chambres spéciales comme on me l'avait fait miroiter, mais de simples garderies qu'on ne retrouve pratiquement qu'en Californie. Dans cet État américain, tout est possible!

Il me restait suffisamment de temps pour tourner dans deux hôtels. Le premier, un deux étoiles de Los Angeles-West et le deuxième, un quatre étoiles de Hollywood-Nord.

Ce film, qui a obtenu la note quatre-vingt-quatre, me classait pour la deuxième fois en première place de la semaine. On a senti à Paris sur le plateau que j'avais pris beaucoup de plaisir à tourner ce film; mais cela va de soi, car j'avais toujours voulu faire un film à Hollywood, et mon rêve s'était réalisé, même si ce n'était pas dans les studios Universal ou sur les plateaux de tournage de E.T... Ce n'est que partie remise.

COMMENTAIRE DU FILM NEUF HEUREUX QUI COMME FÉLIX... OU LES CHATS PACHAS

Le téléphone sonne... une femme répond "Holiday hotel may I help you?...

Les parents du jeune Broxton réservent une chambre pour ses vacances du temps des fêtes.

- He will have a nice weekend.

La tenancière, Madame Powers, s'occupe des réservations et du service aux chambres avant l'arrivée des pensionnaires.

- Hello Muffy... how's my pussy cat little girl... Come darling...

La jeune Muffy vient tout juste d'arriver pour le congé de l'Action de Grâces. Sa mère va rencontrer sa famille loin de Los Angeles...

Les pensionnaires de l'hôtel pour chats de Los Angeles.

Vacances, voyages, congés, c'est la principale raison d'être des hôtels pour chats que l'on retrouve surtout en Californie...

Et comme toute ville a son quartier riche, on trouve les hôtels cinq étoiles, les plus chics près de "Beverly Hills"...

- Hi, how are you. Please come in.

"- Here is my baby Missy we are going to a wedding in Las Vegas"...

Madame Westwood doit aller à un mariage à Las Vegas et laissera son bébé Missy entre les mains de Virginia... Comme Missy a des problèmes de digestion, sa maman a pris soin d'amener une préparation de son régime préféré, ainsi que ses pilules pour son poil, un peu trop fragile en cette saison.

"Many of my clients are working in show-business"...

Plusieurs de mes clients sont dans le show-business ou le cinéma. Ce sont des personnalités qui s'absentent pour des tournages, des spectacles...

Dans les milieux riches comme dans les plus modestes, on insiste sur le fait qu'il s'agit d'un hôtel et non pas d'une vulgaire fourrière. Tout est bien orchestré; les pensionnaires ne sont pas en captivité, leur chambre est ouverte toute la journée et ils peuvent circuler librement entre le dortoir et la cour intérieure.

La publicité mentionne des chambres privées, des suites familiales, des litières spacieuses, de la musique d'ambiance, d'agréables dîners et des mezzanines ensoleillées. Dans ce décor unique, seules les plantes sont en cage.

"You know, the people that brings their kiddies here"...

Les gens qui amènent leurs petits ici sont très craintifs parce qu'ils se sentent coupables comme s'ils abandonnaient leurs bébés. C'est pourquoi nous devons jouer beaucoup avec leurs émotions. Alors nous faisons tout pour les mettre en confiance. Nous passons beaucoup de temps auprès de nos protégés. Nous leur donnons de l'amour, nous les connaissons chacun par leur nom.

... we know all their names..."

June aura cent soixante chats pendant le congé de l'Action de Grâces. Ce rassemblement ne se fera pas sans voir apparaître quelques conflits de personnalité...

Un séjour à l'hôtel s'avère toujours profitable pour l'éducation de ces petits Californiens.

Virginia préfère de son côté garder au maximum vingt chatons dans son cinq étoiles d'Hollywood Ouest. Elle peut ainsi leur donner toute l'attention dont ils ont besoin, et même faire un peu de spécial.

Virginia "I dont like to feed them only with can food...

Virginia n'aime pas les nourrir en utilisant des préparations en conserve. Ses pensionnaires, loin du foyer, vivent dans des conditions exceptionnellement stressantes. C'est pourquoi elle leur fait suivre à tous, une diète spéciale en mélangeant, elle-même, de la dinde fraîchement hachée avec du pain de viande et du jus de tomate, ainsi que des vitamines naturelles; elle leur donne aussi des grains et du germe de blé...

...corn and wheat germs."

Elle a même deux pensionnaires qui ont des traitements particulier. Des chats léopards sauvages...

Il en coûte trois cents dollars par année seulement en permis pour les garder à la maison.

Il a beau y avoir plus d'animaux domestiques que d'enfants dans les familles américaines, l'attitude des parents reste la même: ils aiment leurs petits inconditionnellement, Félins ou Humains.

Par contre, j'ai vu ici des chatons, qui, pour cinq dollars par jour, recevaient plus d'attention et de compréhension que leurs grands frères humains!

Non ce n'est pas une morale, mais... en Californie tout est possible.

CHAPITRE DIX

Los Angeles

Le 22 novembre 1982

72e jour

Impossible de le croire. Un des grands moments de ma course était sur le point d'arriver. Pour la première fois, je pouvais profiter de mon congé mensuel. Il s'est avéré, par la suite, être le seul et unique de toute ma course, car aux autres congés du même genre, j'étais toujours obligé de rattraper un quelconque retard accidentel, provoqué soit par une caméra qui tombe en panne, soit par une grippe qui éclate, ou par un film qui se perd entre deux aéroports.

Pourtant les conditions de nos prédécesseurs étaient pires que les nôtres. Si l'on remonte dans le temps, on s'aperçoit que les candidats d'il y a deux ans devaient faire dix-neuf films en dix-neuf semaines, beau temps, mauvais temps. Cette année, on n'en faisait que dix-sept en vingt-deux semaines. La course devient donc de plus en plus humaine.

Après dix semaines au rythme du travail ininterrompu, j'avais donc un film de réserve en avance sur les autres. Pour une fois, je pouvais vraiment relaxer en paix!

Mais je ne pouvais psychologiquement m'arrêter. J'en étais incapable; le rythme de la course m'avait enivré pendant les semaines précédentes et je voulais continuer à vivre des aventures avec la même intensité.

Georges Amar, l'autre Canadien, se trouvait aussi à Los Angeles; nous nous retrouvions après être partis de Paris chacun de notre côté et après avoir parcouru chacun notre moitié du tour du monde. Le hasard de la course faisait que je venais de lui passer le bâton de relais de la septième place au classement général. Sa caméra était défectueuse mais, ne le sachant pas, il continuait à l'utiliser.

J'ai décidé de prendre une semaine avec lui pour essayer de le remettre intérieurement en piste et aussi, si possible, pour tenter de le réconcilier avec sa caméra, qui venait de lui faire rater la moitié de ses films en Asie. En fait, j'ai surtout accompagné Georges qui allait tourner un film sur une mosquée musulmane, perdue au coeur du désert, dans l'état du Nouveau-Mexique. Un film comme j'aurais aimé en faire un! Georges avait des textes magnifiques et sur le site en question des photos couleur saisissantes. Cela valait les mille deux cents km de déplacement en voiture!

UNE EXCURSION DANS L'OUEST

Nous sommes partis avec une voiture que j'avais louée de peine et de misère à Los Angeles, car il manquait un an de sagesse à ma majorité. Quand on n'a pas vingt-et-un ans, aux États-Unis, on ne peut pas faire grand chose de légalement autonome. Trois compagnies de location ont donc refusé de me louer une voiture.

Puis l'expédition a commencé... Nous avons emprunté une route qui traverse un désert à perte de vue, pour atteindre enfin Las Vegas, où nous nous sommes arrêtés au moins trois heures. Nous avons même pris le temps de jouer un peu avec les machines à sous. À coups de cinq cents, ce n'était pas dangereux pour nos bourses. J'ai peut-être dépensé cinq dollars... pour gagner quinze ou vingt cents. Nous ne nous sommes pas risqués sur les machines à un dollar, car il fallait nous rendre encore très loin.

Nous avons côtoyé de près le Grand Canyon et traversé des réserves d'Indiens. Ce qui nous a le plus surpris dans ce mois de novembre, ce fut de tomber sur une tempête de neige, au beau milieu d'un désert de cactus, là où nous nous attendions à crever de chaleur sous le légendaire soleil torride des films westerns! Nous avons admiré Phoenix, Tucson, Albuquerque, Santa Fe et tout le long de la route, nous avons compté une bonne dizaine de villages-fantômes... Lorsqu'on s'arrêtait pour prendre de l'essence, on trouvait encore des gens qui ne sortent pas de leur maison sans s'armer de leur fusil! C'était l'Ouest! Finalement, nous sommes arrivés à la fameuse mosquée, qui, de l'extérieur, nous a un peu déçus: les photos du magazine avaient été légèrement truquées pour la mettre en valeur.

Georges a tourné le film en trois jours. Ce qui était le plus extraordinaire dans cette aventure, ce n'était pas la mosquée; c'était de pouvoir enfin parler à quelqu'un qui vivait aussi la course - à sa façon, bien sûr - mais qui avait été confronté à peu près aux mêmes situations que moi pendant les derniers mois.

Au retour, je me suis arrêté sur la route, au bord de la frontière mexicaine. Georges m'avait donné un article de revue dans lequel on racontait que dans plusieurs villages, tout le long de la frontière, on jouait au volley-ball en se servant, comme filet, du mur qui sépare les deux pays, car chaque ville américaine frontalière a sa jumelle mexicaine de l'autre côté. Le temps me manquait pour tourner ce film. J'allais me reprendre en Malaisie avec le Sepak Takraw. Pour le moment, les "Meter Maids" m'attendaient en Australie.

CHAPITRE ONZE

Voyage dans le temps, vers l'Australie

Le 29 novembre 1982

79e jour

Los Angeles - Sydney; un de mes déplacements les plus longs, mais certainement le décalage horaire le plus dramatique de toute ma course.

Je décolle un samedi soir à sept heures pour atterrir le lundi midi, après un vol sans problème de onze heures. Tout ça à cause de la fameuse "barrière des jours", du décalage horaire. Cette ligne imaginaire perdue au milieu de l'océan me faisait perdre une journée d'un seul coup.

Escale technique à Honolulu, Hawaï, et ses guirlandes de bienvenue. Court arrêt en Nouvelle-Zélande et enfin, le continent tant attendu. À l'arrivée, c'est la surprise! L'avion est mis en quarantaine pendant dix minutes: l'insulte suprême. Deux anglais en culottes courtes descendent les allées de l'avion avec quatre canettes d'aérosol qu'ils nous pulvérisent au-dessus de la tête. Les Australiens ont tellement peur des "bibites" et des maladies importées qu'on ne peut entrer dans leur pays sans se refaire ainsi "baptiser", pour être immunisés. Pourquoi? Parce qu'habitant un continent, croit-on isolé, ils ont peur que les touristes leur amènent des maladies qui pourraient affecter leurs kangourous!

- Micro-choc culturel -

J'ai eu un choc culturel en Australie. Je n'arrivais pas à le croire... C'était idiot car, me semblait-il, j'étais habitué à pire. J'avais pourtant expérimenté l'Afrique et l'Amérique du Sud avec leur capacité à dépayser, mais je me suis surpris à "bouder" la course pendant mes trois premiers jours en Australie! Tout était tellement changé depuis ma semaine passée aux États-Unis où j'avais été gâté par les amis et par le congé! J'étais dans un autre hémisphère où tout semblait inversé: le climat, les saisons... Je me retrouvais du jour au lendemain en plein été. Même le sens de la circulation était inversé dans les rues; on conduisait à gauche! Quand le temps venait de traverser la rue, je regardais toujours du mauvais côté et j'avais parfois des surprises... "Jamais, me disais-je en moi-même, je ne pourrai louer de voiture ici."

Heureusement, j'ai rencontré des gens sympathiques. D'abord, j'ai réussi à rejoindre l'une de mes rares connaissances en ce pays: Georges Vadeboncoeur, un grand sportif trifluvien qui avait fait partie, comme moi, des Petits Chanteurs de Trois-Rivières, mais dans le temps du directeur Jean-Paul Quinty, au tout début de la chorale. Un accueil remarquable, mais peu de sujets de film! Ensuite, j'ai rencontré Jean-François Cuisine, le candidat français que je suis allé chercher à l'aéroport pour l'amener à mon hôtel. Entretemps, j'avais déjà trouvé le sujet de mon prochain film, au cours d'une conversation avec l'attachée culturelle de l'ambassade du Canada. Elle m'avait parlé des clubs sociaux, des alcooliques, de la sécheresse, des kangourous et des Meter Maids. Cuisine m'a confié qu'il avait découpé des articles de journaux français sur ces mêmes Meter Maids... Mais comme j'étais arrivé le premier, les honneurs me revenaient... C'est donc moi qui ai décroché le "jack pot"!

LES METER MAIDS, TOUT UN CADEAU

Dix heures d'autobus pour me rendre dans le paradis des surfers! "Surfers Paradise" est une petite localité en bordure de l'océan, non loin de Brisbane, dans une région qu'on appelle la Côte d'Or. C'est de là que vient l'uniforme doré de ces dames.

L'ambassade avait pris tous les arrangements avec les Meter Maids. Sur les lieux, on m'attendait. On avait même fait venir une des filles qui se trouvait en vacances non loin de là, pour la faire figurer dans mon film.

Contrairement à ce que vous pouvez penser, mon sujet m'a énormément déçu, car je m'attendais à rencontrer une armée de Meter Maids.

Or, il n'y en avait que deux. Elles m'ont raconté qu'habituellement elles ne font pas de publicité gratuite, et qu'elles n'accepteraient aucune prise de vue pour "voyeurs". Zut! Mais le comble, c'est quand je me suis mis à les interviewer. Je ne pouvais jamais sortir ma caméra sans qu'elles refassent leur maquillage ou qu'elles affichent un sourire fendu jusqu'aux oreilles en fixant la caméra... Artificielles au maximum... En plus, je les voyais sur toutes les cartes postales de la ville... moi qui cherchais des sujets non touristiques.

Mais au moins, j'avais un sujet visuel! C'était l'occasion idéale pour faire de la mise en scène, et j'avais toute une histoire à raconter: des filles qui font le trottoir pour mettre de l'argent dans les parcomètres échus, afin d'éviter un "ticket" aux touristes, c'est spécial. C'est une façon comme une autre d'attirer les gens au centre-ville... On pourrait proposer cela pour le trois cent cinquantième anniversaire de Trois-Rivières en 1984.

J'ai donc passé deux jours dans cette ville où l'on m'a même offert un poste de photographe au journal local, "LE GOLD COAST SUN". Ils ont dû se contenter d'une simple interview, car je préfère encore LA PRESSE CANADIENNE.

À la mi-course, avec un pointage de quatre-vingt-sept sur cent vingt, je passais de la cinquième à la troisième place. Le film était présenté la journée même de Noël. Les Meter Maids, c'était tout un cadeau!

Mario en compagnie d'une jeune demoiselle "Meter Maids" de la Côte d'Or Australienne.

COMMENTAIRE DU FILM DIX HÔTESSES DE PARCOMÈTRES

Voici l'unique Côte d'Or australienne. Quarante-deux kilomètres divisés en vingt plages ouvertes sur l'océan Pacifique à la hauteur de Brisbane.

La principale communauté de cette agglomération hôtelière est "Surfers Paradise". Le paradis des Surfers voit son centre-ville à peine à trois cents mètres de la plage. Bousculés par les visiteurs, les résidents ont demandé plus d'espace pour stationner leur véhicule. En conséquence, on a installé neuf cent cinquante parcomètres "Et Vlan..."

Maintenant chaque jour, une centaine de vacanciers voient finir leur partie de Surf au poste de police.

Eileen Peters, ancienne représentante de la Chambre de Commerce, a déclaré la guerre aux autorités civiles.

En 1964, quand le Conseil de ville insista pour installer des parcomètres, les commerçants ont protesté vivement... Il y eut des marches de solidarité. Finalement on en est venu à se cotiser pour payer des hôtesses qui parcourent les rues et déposent de l'argent dans les parcomètres dont le temps est échu. C'est ainsi qu'elles évitent aux visiteurs des contraventions toujours fâcheuses.

Pratique coûteuse tout à fait illégale, passible d'arrestation, d'une forte amende ou d'un séjour en prison pour les plus zélés.

La fille de Mme Peters eut la brillante idée d'engager deux jeunes filles en bikini pour gêner les policiers qui n'oseraient au grand jamais lever la main sur ces "hôtesses de parcomètres".

Depuis dix-huit ans, trente-deux filles en maillot doré ont occupé ce poste d'ambassadrice du soleil. Elles distribuent leur carte de visite annonçant qu'une victime vient d'être sauvée. Les "Meter Maids" comme on les appelle font partie d'une certaine Élite.

UNE "METER MAID" NOUS RACONTE

L'association progressive de *Surfers Paradise* m'a engagée par l'intermédiaire d'une agence de mannequins pendant que je posais pour des magazines. Puisque je suis native de la Côte d'Or et que j'y ai toujours vécu, voilà comment je suis devenue une hôtesse de parcomètres.

(Elle met de l'argent et fait monter le compteur).

En plus de leur travail, elles jouent un rôle social important. On les arrête pour un renseignement, pour une photo. Les petites filles veulent toutes devenir "Meter Maids". Lors de certaines sorties, elles représentent officiellement la Côte d'Or à l'intérieur des sept provinces australiennes et même à l'étranger.

Les mécènes de cette entreprise sont les commerçants qui leur payent un ou deux dollars de cotisation hebdomadaire.

UN COMMERÇANT NOUS RACONTE

Les hôtesses de parcomètres sont un grand bien pour les entreprises comme la mienne, car on aime bien que les clients se stationnent en face des magasins. De toute façon, ici les gens sont en vacances et la vigilance des hôtesses leur permet d'oublier un peu le temps qui passe.

Les policiers considèrent ce phénomène comme de la compétition amicale; mais l'Association qui endosse la responsabilité de parrainer ces dames connaît par ailleurs un très grand succès.

CHAPITRE DOUZE

Conduire à gauche en Australie

Sujet en or avorté

Le 6 décembre 1982

86e jour

Un continent aussi grand que l'Australie, cela m'invitait au moins à deux semaines de séjour et au tournage de deux films. Au cours de mes recherches pour trouver les "Meter Maids", on m'avait parlé de Coober Pedy, un village de mineurs d'opales, qui aménagent luxueusement les galeries souterraines où ils travaillent, pour y vivre l'année durant à l'abri du soleil et du climat désertique qui sévit en ce milieu du continent.

L'opale est une pierre très précieuse dont l'Australie est le premier producteur mondial. Et ces chercheurs qui vivent sous terre n'ont absolument rien de misérable. Au contraire, ils aménagent les galeries en rocailles de la même façon qu'on aménagerait un sous-sol, avec des meubles, des comptoirs, des machines à laver, des salons avec tapis mur à mur, un téléviseur et toutes les commodités domestiques! Ils n'ont qu'à tirer un rideau pour retrouver leurs pioches, leurs pelles et leurs pics dans l'appartement voisin, pour se remettre au travail. J'en avais vu des photos à me couper le souffle! C'était unique au monde.

J'avais pris tous les arrangements nécessaires avec les lignes aériennes et les autobus pour me rendre à Coober Pedy, mais juste avant de partir, lors d'une communication avec Paris, le monteur de mes films m'a tout de suite arrêté m'informant qu'un candidat de la course avait déjà choisi ce sujet il y a trois ans.

J'aurais quand même aimé voir ce village très spécial, mais un sujet déjà présenté aurait peut-être fourni trop d'armes aux juges pour me discréditer.

ADÉLAÏDE, UNE CARTE À JOUER

Je me retrouve donc à Sydney, désillusionné, sans sujet, avec quelques jours de moins pour m'en dénicher un autre. Je retourne voir les gens de l'ambassade: le même monde... Ils me proposent les mêmes sujets que j'avais avorté la semaine précédente. J'avais l'impression de tourner en rond. Quand on passe plus d'une semaine au même endroit dans la course, on n'est plus sollicité, on n'est plus émerveillé, plus rien ne nous épate. On devient blasé rapidement. Je me mets à réagir. Un coup de tête: je change de ville, je change de province!

Adélaïde figurait déjà sur mon billet initial, car je devais y transiter de toute façon avant de quitter le pays. Je change alors mes plans sans trop y réfléchir et je me fixe à Adélaïde.

Cette ville est à l'image de toutes les nouvelles villes australiennes qui ont connu un développement planifié... Le centre-ville est entouré d'un parc circulaire, séparant le quartier des affaires de la banlieue résidentielle... De toute beauté! J'y ai même pique-niqué seul avec mon "fast food".

Les dépliants touristiques du coin faisaient mention de deux attraits particuliers vers lesquels tous les étrangers semblaient se diriger: l'île aux Kangourous et Barossa Valley... une campagne située à peine à cinquante km d'Adélaïde et d'où provient le quart de toute la production vinicole australienne. Cette alternative me plaisait. Pour ce deuxième choix, je me surprenais à me rabattre sur des sujets touristiques. Il s'agissait pour moi d'exploiter une veine que les gens n'avaient pas encore exploité. Tout un défi à relever!

Avant de tourner ce film, j'avais cependant un autre problème à affronter: louer une voiture avec le volant à droite dans ce pays où l'on conduit à gauche. Comble de malchance, il ne restait que des voitures à transmission manuelle, que je devais manipuler du bras gauche... Heureusement, ils sont venus me la livrer à l'hôtel: ils ne m'auraient jamais laissé ce véhicule entre les mains s'ils m'avaient vu le conduire. J'ai mis, au bas mot, quinze minutes à sortir de la cour de l'hôtel. Si les Australiens avaient été sensibles à cette forme d'art populaire que sont les jurons québécois, ils y auraient été initiés en moins d'une journée!

LA VALLÉE DU VIN

Sous un magnifique soleil d'été, j'ai parcouru une vallée bordée de vignes en me demandant comment j'allais traiter mon sujet. On m'avait dit qu'il s'agissait d'une communauté d'Allemands, venus s'installer ici pour pratiquer en paix leur religion et produire leur vin. C'était à Adélaïde.

Je voulais d'abord orienter mon film sur cette minorité ethnique. J'aurais voulu assister à des bavaroises, manger des pâtisseries allemandes, et entendre parler la langue de Goethe. Mais non! Ils étaient tous assimilés.

C'est alors que j'ai découvert qu'on empruntait beaucoup de noms de grands vins français (Bordeaux, Chablis, Beauvais) pour baptiser les productions vinicoles australiennes. On allait même jusqu'à recréer les paysages de la vallée de la Loire ou du Rhin, en construisant de véritables petits châteaux.

J'ai obtenu au pointage, quatre-vingt sur cent vingt, et j'étais le deuxième de la semaine pour ce film qui passa au petit écran le premier janvier. Je n'avais finalement trouvé mon sujet qu'après avoir passé quatre jours dans la vallée; il était temps. L'Asie m'attendait pour les deux derniers mois de la course.

COMMENTAIRE DU FILM ONZE
BAROSSA VALLEY
AUSTRALIE

Barossa Valley fut colonisée par des Allemands, il y a moins de cent quarante ans. Ils ont fui ce qui est maintenant la POLOGNE afin de pouvoir pratiquer leur religion luthérienne en toute liberté dans une contrée vierge.

Ils ont dû rapidement subvenir à leurs besoins, c'est pourquoi ils ont amené avec eux une partie de leur passé: des vignes, des kilomètres de vignes.

Comme Adélaïde, la ville la plus près se trouve à cent kilomètres, il fallait faire un produit qui puisse se conserver pendant les longs voyages en charrette. En famille on s'est remis à faire du vin.

Barossa Valley, c'est maintenant soixante kilomètres carrés de vignes répartis en cinquante vignobles dont une grande partie est encore restée une affaire de famille.

Un vieux vigneron nous raconte: "Ici c'est un vignoble qui appartient à la famille depuis la toute première colonisation. Mon fils est présentement en Europe pour étudier la fabrication du vin; il a l'intention de revenir pour continuer la tradition qui dure depuis six ou sept générations."

Le quart de toute la production de vin en Australie provient de cette seule vallée. On en exporte en Asie, en Amérique, en Angleterre et bien sûr chez les cousins "Germains", presque partout sauf en France. On produit ici une incroyable variété de vins.

Le fils d'un vigneron nous raconte: "Lors de mon séjour en France, j'ai travaillé aux vendanges dans la région de Bordeaux et j'ai remarqué des différences incroyables entre les vins d'ici et ceux d'Europe."

Les Français font souvent un seul vin, par exemple un vin rouge sec. Mais ici on en produit plusieurs variétés; on y trouve cinq ou six vins rouges de table et jusqu'à douze vins blancs, et autant de vins fortifiés.

Un homme d'affaires nous précise: "L'industrie du vin en Australie est très jeune comparativement à celle de la France ou de l'Allemagne. On ne connaît aucun contrôle d'appellation ici, aucune loi au niveau de l'étiquetage des produits.

On donne souvent une appellation connue à certains vins qu'on produit comme le Chablis qui est un vin sec léger. Mais, aucune ressemblance n'existe avec le vin de la région de Chablis en France."

Une grande partie des nouvelles plantations conservent les méthodes empruntées à certaines régions de la France. C'est pourquoi on retrouve sur les étiquettes des noms très connus. Le champagne du coin vous ferait sauter en l'air, mais sûrement pas par abus d'usage.

On essaye même d'imiter les paysages exotiques de la vallée du Rhin ou de la Loire, c'est le carnaval des architectures.

Le vieux vigneron poursuit: "On est perdu dans les noms de vins, il en sort un nouveau presque à chaque semaine. Moi je préfère donner à un vin le nom de la région où tout a commencé; "Béthanie", ça représente la région où j'ai toujours vécu."

Bien que l'industrie du vin devienne de plus en plus anonyme, chimique et mécanisée, les gens d'ici ont toute une histoire derrière eux. Pendant la guerre, l'aversion à l'égard des Allemands a malheureusement contribué à effacer une trop grande partie du patrimoine culturel qu'ils avaient apporté en Australie. Ils auront néanmoins réussi à conserver leur culture... vinicole.

CHAPITRE TREIZE

Bali et ses massages
(Indonésie)

Le 13 décembre 1982

93e jour

L'île de Bali est aux Australiens, ce que la Floride est aux Québécois! Avant de partir, on m'avait même dit qu'il s'agissait d'un véritable paradis sur terre; des kilomètres de plages, une culture et des traditions que les siècles n'ont presque pas altérées. Oui c'était bien ça... mais ça "puait" le touriste et le commerçant "attrape-nigaud". Un détail qu'on avait omis de me mentionner!

Comme je ne pouvais pas me payer d'hôtels à cent dollars par jour, je devais me contenter de petits "cottages" donnant sur les plages publiques où l'on doit se baigner à côté des gens du pays qui vont là pour se laver! J'ai rarement vu des endroits aussi publics que ça. Les plages sont de véritables marchés ou l'on ne peut pas faire cent mètres sans se faire harceler par toute une ribambelle de vendeurs de "T-Shirts", d'articles d'artisanat ou de cacahouètes. Mais il y a aussi les très célèbres masseuses dont tous les candidats de la course m'avaient tant vanté les mérites... "trente-cinq l'heure", disaient-ils.

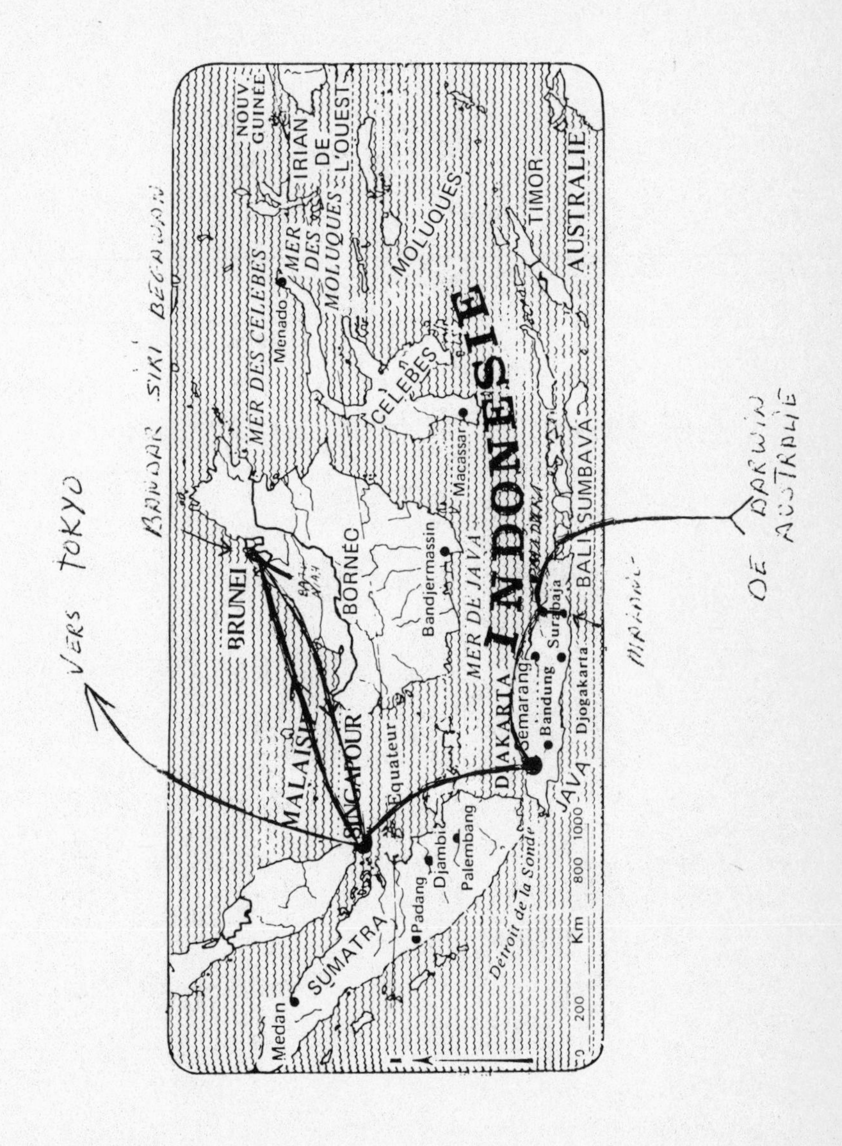
VERS TOKYO
BRUNEI
MALAISIE
SINGAPOUR
BORNEO
MER DES CELEBES
Menado
MER DES MOLUQUES
IRIAN DE L'OUEST
NOUV. GUINEE
CELEBES
MOLUQUES
Macassar
Bandjermassin
MER DE JAVA
INDONESIE
TIMOR
AUSTRALIE
SUMBAVA
BALI
Surabaja
Semarang
Bandung
Djogakarta
DJAKARTA
JAVA
Equateur
SUMATRA
Medan
Padang
Djambi
Palembang
Détroit de la Sonde
Km
200
800
1000
DARWIN AUSTRALIE

Il y a deux types de plage à Bali, les unes pour touristes, les autres comme celle-ci pour les indigènes. Parents et enfants viennent s'y laver. (Indonésie)

Après avoir marché trois kilomètres et refusé une cinquantaine d'offres, je n'avais toujours pas trouvé ma "nymphette"! Mais j'avais au moins compris que c'était sûrement un autre bel attrape-touriste. Toutes les masseuses traînaient leur famille avec elles!

Le soleil était sur le point de tomber et je ne voulais quand même pas manquer l'expérience. Alors, tout de suite, j'ai pris la première pauvre vieille à se présenter... la cinquante-cinquième. Elle a tout installé sur la plage, elle m'a couvert d'huile et c'était parti... Ses mains étaient pleines de sable... Un massage au papier sablé; cela ne s'était encore jamais vu!

Je n'étais cependant pas au bout de mes surprises, car tout à coup, elles se sont mises à trois sur moi... Tap! Bang! Ouf!... Elles devaient toutes être syndiquées et on devait approcher de cinq heures car ça allait vite. Après une demi-heure de travail, elles remballaient leurs paquets pour finalement me demander cinq dollars pour la job. Les plaisirs du marchandage recommençaient.

Le lendemain, un taxi m'a fait faire le tour de l'île. J'ai vu des temples, j'ai assisté aux fameux spectacles de danse balinaise. J'ai visité des ateliers de sculpture et de tissage, et je me suis vite envolé vers l'île de Java. En moins de vingt-quatre heures j'avais tout vu de Bali et je m'étais assez bien reposé.

LE CONTINENT DU SOURIRE
Surabaya (Indonésie)

Le 14 décembre 1982

94e jour

Enfin le dépaysement de l'Asie me saute au visage. SURABAYA n'est pas le capitale du pays, c'est une ville secondaire où aucun candidat de la course n'a encore posé le pied. Ici, presque personne ne parle l'anglais, et encore moins le français. Les jeunes écoliers passaient leur temps à me crier "... Mister?...", pour finalement ne m'envoyer qu'un sourire aussi large que leurs yeux bridés. Les visages que je croisais finissaient toujours par esquisser un sourire. Il faut dire que l'étranger que j'étais en ces pays devenait une attraction publique!

Surabaya, cette ville plus retirée était chouette, mais il n'y avait aucune ambassade, donc beaucoup moins de services offerts aux voyageurs... Mon risque était calculé car pour une fois, j'avais un sujet de film en prévision: "Les courses de taureaux sur l'île de Madura".

J'avais déjà été mal noté pour mon film sur les corridas portugaises. Mais ici je comptais sur le dépaysement de l'Asie pour reprendre ma chance.

Malheureusement, j'étais hors saison, je le savais avant même de partir de Paris. Il n'y a pas de courses pendant l'hiver. Il m'a suffi seulement de deux télex pour l'apprendre! Mais j'ai décidé de venir quand même à Java, au cas où je trouverais autre chose pas loin!

C'était fou, mais la chance me poursuivait. Après une journée de recherches, j'ai appris que la ville attendait l'arrivée prochaine de "La perle de Scandinavie", un immense bateau de croisière. Pour l'occasion, on a décidé à la dernière minute d'organiser une course de taureaux spécialement pour ces touristes américains... Cela tombait à point: la chance d'une vie!

LES TAUREAUX AVAIENT LE FEU...

Sur le traversier où voyageaient les gens du pays, j'écrivais mon journal la tête baissée pour me donner une raison d'éviter les cinquante paires d'yeux qui me mitraillaient sans arrêt. Quelques-uns mendiaient... mais je crois que la vision d'une seule pièce de monnaie sortant de mes poches aurait suffi à provoquer une émeute. L'homme en face de moi jouait distraitement avec mon sac d'équipement, un autre rigolait en regardant le poil "blond" que j'avais sur les bras; il n'avait jamais vu cette couleur de poil sur des bras! Une femme en train d'allaiter son petit regardait mes "Meter Maids", en bikinis, trois pages avant dans mon journal... Elle riait fort!

Je me rendais ainsi à l'île par les moyens de transport public avant que les touristes ne le fassent à bord du train et du traversier qui avaient été spécialement remis en usage, uniquement pour leur passage.

Je voulais filmer la préparation, la décoration et l'installation des "jougs" sur lesquels se tiendraient les conducteurs pour diriger les bêtes.

Tout le monde était prêt à accueillir l'âge d'or en tenue sportive muni de caméras 35 mm et de vidéos portatifs.

Juste avant le signal de départ de la course, on s'est mis à badigeonner les yeux, les oreilles et le derrière des taureaux avec une espèce d'alcool qui finit par leur mettre le feu à la bonne place, pour qu'ils puissent courir comme des fous!

Mais c'est vraiment débile, car les taureaux ne sont pas du tout des bêtes entraînées pour la course... Ils avançaient tout croche, ils fonçaient dans la foule des Indonésiens qui riaient plus que les autres. Les touristes étaient bien protégés par les estrades. Il devait y avoir huit départs, mais ils ont dû en recommencer six qui avaient mal tourné!

Je suis finalement retourné à SURABAYA avec leur train tout neuf, et le directeur de la croisière m'a même invité au buffet du deuxième pont, ce n'était que justice après toutes ces aventures!

Tout cela aurait pu faire un bon film drôle. J'ai même tourné une demi-heure de pellicule. Malheureusement, ce fut l'un des deux films tournés avec la caméra défectueuse, à la suite d'un choc que j'avais cru bénin.

Rien de tout cela n'a été présenté à la télévision. Il n'en fut même pas question. Ils ont présenté un film de réserve à la place. Tant il est vrai que, de la Course que nous vivons, vous ne voyez que la pointe de l'iceberg!

CHAPITRE QUATORZE

Le temple du mont KAWI, (Indonésie)

Le 16 décembre 1982

96e jour

Au restaurant de l'hôtel, à chaque repas, j'avais l'impression de jouer au casino. Je misais deux dollars, je me fermais les yeux, j'étirais le bras pour pointer n'importe quoi sur un menu incompréhensible et hop! Je m'embarquais dans une autre aventure culinaire.

Il m'arrivait parfois de sortir de table en crachant le feu ou en échappant des "rapports" de riz, mais même si ces repas n'avaient pas toujours l'effet de combler mon appétit, je me remplissais au moins la tête de découvertes.

Lorsque je me décidais à délier les cordons de ma bourse, je pouvais quand même m'offrir des steaks de poulet pané, avec frites à certains moments. Mais il fallait voir l'assiette: ils ont tellement peu de patates en Asie qu'il est rare que tu aies plus de cinq ou six frites. Alors, le cuisinier s'en va te les corder en faisant une petite pyramide dans ton assiette pour que ça fasse plus impressionnant!!!

Il faut dire que j'avais couru après ces mésaventures, car je m'étais volontairement retiré dans un de ces minables hôtels domestiques. Ceux-ci, à la différence des Hilton internationaux, abritent une clientèle beaucoup plus locale. Ce n'était pas un ghetto à touristes. Je n'y ai rencontré que des gens du pays; des couples modestes en voyage de noces ou des hommes d'affaires représentant de petites entreprises. Par contre dans les hôtels, il y avait le désavantage que seul le réceptionniste de nuit parlait anglais. En d'autres temps, je me débrouillais par signes.

Un soir que j'étais fatigué, après une crevante journée de recherches qui n'avaient pas abouties, un homme d'affaires assis à la table en face de moi au restaurant, se met à m'interroger sur ma présence à l'hôtel. Il bredouillait un anglais que j'arrivais quand même à comprendre. Son compagnon, lui, ne parlait qu'indonésien. Ils ont été fascinés par mon aventure du tour du monde et nous avons quand même échangé pendant une heure. Je risquais à tout moment de m'écrouler de sommeil sous leur nez, mais j'ai raconté mon histoire jusqu'au bout.

Le lendemain matin, au déjeuner, l'homme qui parlait anglais est arrivé avec une liste de douze sujets de reportages à réaliser autour de Surabaya. Je n'en revenais pas. Et il me les a tous expliqués sur-le-champ, tout en me décrivant le contexte social de chaque région.

PRIER POUR DEVENIR RICHE

Le lendemain matin, j'étais déjà en route vers Malang. Trois heures d'autobus, pour m'enfoncer au coeur de l'île de Java! Je voulais voir le mont Kawi. Un site qui n'apparaissait pas sur toutes les cartes touristiques. C'était un des endroits que je retrouvais sur la fameuse liste de mon nouvel ami, mais où personne ne m'avait vraiment conseillé d'aller. Il s'agissait en fait d'un sanctuaire où tous les Chinois se réunissent afin de prier pour devenir riches! Je trouvais ça drôle!

Dans l'autobus, mon voisin de siège qui travaillait pour une compagnie aérienne a décidé spontanément de me suivre pendant les deux jours de tournage de mon film. Il a même invité, pour nous accompagner, ses deux confrères de travail qui ont fermé le bureau pour me suivre.

Ce qui était incroyable, c'est qu'ils ont toujours vécu tout près du mont Kawi, sans jamais y mettre les pieds.

L'ascension de la montagne est d'abord jalonnée de mendiants qui viennent éprouver la charité des pèlerins en quête de richesses. Plus on monte, plus on rencontre des marchands de fleurs, d'huiles et d'articles pour des offrandes; en plus on retrouve ces fameux bains publics où tous doivent se purifier. En haut, le temple est à la fois bouddhiste et musulman.

Il y a deux mille ans qu'un Chinois est venu ici pour se recueillir. Il fit la promesse d'y construire un temple s'il devenait riche à la suite de son pèlerinage. Voilà comment tout a commencé.

UN JEU DE HASARD

Mais le plus drôle en tout cela, c'est que ces Chinois dépensent des fortunes pour devenir riches. Ils font des souhaits, ils tirent au sort un numéro qui correspond à une petite enveloppe-réponse qu'ils doivent acheter pour savoir si leur souhait va se réaliser. De vrais businessmen, les tenanciers de ce temple!

Lorsque j'ai voulu filmer une Chinoise en train de prier, celle-ci m'a dit d'attendre que les dieux lui permettent de m'autoriser à la filmer... Par chance, la réponse de la petite enveloppe était positive: les dieux étaient avec moi!

C'était le deuxième film que je réalisais avec ma caméra, qui était tombée par terre lors de la treizième semaine de course et désormais hors d'usage. Paris m'en a informé à deux heures du matin. Le lendemain, j'ai dû retourner cette caméra à Paris, par le premier avion... Mais avec elle s'envolaient aussi deux semaines de travail! Heureusement que j'avais une caméra de secours pour continuer à tourner.

A la télévision, ils ont dû passer un de mes films de réserve pour boucher le trou: celui sur les chercheurs d'or boliviens. Soixante-neuf sur cent vingt. J'étais le plus faible de la semaine, car Alain Brunard avait aussi fait un film sur le même sujet quelques semaines auparavant et les juges ne me l'ont pas pardonné! Décidément, je n'avais pas fini d'être à la croisée du destin de ce Brunard. Mais c'était le calme avant la tempête!

COMMENTAIRE DU FILM DOUZE
LES JEUX SONT FAITS, RIEN NE VA PLUS

A l'Est de Java, perdue au milieu de l'île, une montagne: GUNUNG KAWI. Bien que seulement 2% de la population soit Bouddhiste, contre 90% de Musulmans, on retrouve ici plus de Chinois Bouddhistes que de véritables Indonésiens.

Ceux-ci viennent plusieurs fois par année de très loin, parfois même de Singapour pour faire l'ascension du mont vers le sanctuaire. C'est dans ce Haut Lieu qu'ils viennent prier pour devenir riches. Mais il leur faut d'abord affronter les Vendeurs du Temple.

Une fois au sommet, on se bouscule vers la tombe du fondateur qui a établi ce Haut Lieu, il y a à peine cent cinquante ans. A la suite d'une demande, il s'est vu exaucé. En effet, il est devenu riche.

Aujourd'hui le site est envahi par des commerçants chinois, les "juifs de l'Asie". A l'instar du fondateur, ils veulent faire fortune.

Un commerçant nous parle:

"Nous venons de Medan au Nord de Sumatra pour prier en famille afin de connaître le succès dans mon entreprise et le bonheur dans ma famille".

Le jeudi soir, Bouddhistes et Musulmans se réunissent devant la nourriture du corps et de l'esprit. Le riz, on l'achète cinq fois son prix... car il est béni.

Le Sanctuaire, c'est aussi un grand parc, une Mosquée, soixante-dix bains individuels ainsi qu'un arbre sacré près duquel on vient porter des offrandes afin que ses prières portent fruit.

Au mont Kawi, il y a autant de rites et de cérémonies que de bâtiments et d'autels.

On initie les Néophytes aux rites de la vérité devant un autel chargé de représentations musulmanes, chinoises et bouddhistes. La présence divine se manifeste par une simple flamme.

Voilà, les jeux sont faits, rien ne va plus. Atti a prié toute la journée et garde un souhait dans son âme. Maintenant, elle veut simplement savoir si elle sera exaucée... Sur la tige, il y a un numéro. Mais ce n'est pas fini. Il faut savoir si le numéro est bon. C'est pourquoi elle va consulter la Fève Géante. Si les deux faces sont identiques, le numéro de la tige n'est pas bon. Alors il faut tout recommencer.

Le gardien quittera son journal pour trouver la combinaison correspondante au numéro de la tige. C'est la réponse au souhait de la jeune fille. Six fichiers, des milliers de possibilités, un analyste n'y verrait que du feu.

Si à la suite d'un pèlerinage, un souhait devient une réalité, on doit aussitôt revenir à Gunung Kawi pour faire une offrande en argent, et en plus offrir un repas aux pauvres au milieu dù Sanctuaire. C'est un business comme un autre, ça fait travailler des gens, ce qui fait tourner la roue.

Malheureusement la route menant au Sanctuaire est jalonnée de "pèlerins" qui passeront leur vie à KAWI sans jamais devenir riches... Comme au Casino, à Kawi, on ne commence pas à jouer avec rien dans ses poches!

CHAPITRE QUINZE

Sports d'acrobates, à Singapour

Le 23 décembre 1982

103e jour

Singapour? Pour moi c'est presque un accident de parcours! Je n'avais aucun contact là-bas. Je ne savais même pas où c'était, ni même quelle langue on y parlait, mais pour atteindre l'île de Bornéo, je devais absolument m'y arrêter pour changer d'avion. Une simple escale! Et voilà comment j'ai abouti à Singapour.

C'est une île qui ressemble étrangement à Montréal; à peu près la même forme, la même superficie, et surtout le même caractère cosmopolite. Située à la rencontre de toutes les grandes cultures d'Asie, on y retrouve des Malais, des Indiens, des Chinois et des Indonésiens. Et tout ce monde-là parle couramment l'anglais; même si l'on se tue à préserver la langue originale qui est le MANDARIN, un dérivé du Chinois. L'histoire se répète, ou on la calque... enfin je ne sais plus.

Mais Singapour, comme Hong Kong, c'est le genre de métropole où les touristes arrivent par centaines avec des valises toutes vides. Ils viennent ici pour les remplir de radios, de téléviseurs, de gadgets et de "machins-trucs". Enfin tout ce qui s'appelle: "Made in pas loin", qui coûte pas cher, et que tu peux acheter sans frais de douane.

Moi-même je n'ai pas pu échapper à la règle. Après avoir vécu les deux tiers de la course, je commençais à sentir mes valises drôlement vides... Disons vides de films. Car, voyez-vous, chaque candidat avait sa particularité. Yves Godel était l'original qui filmait toujours avec son walkman sur les oreilles; mais moi, j'étais du genre maniaque de la caméra, et à chaque semaine, mon appétit pour le film grandissait.

Craignant la panne sèche, j'ai dû mettre cinq cents dollars de films sur ma carte MASTER pour que je puisse continuer à filmer sans crainte.

C'était le temps des Fêtes, et il fallait voir la tête de mon père lorsqu'il a reçu mon cadeau à Trois-Rivières: le compte de la fin du mois!

L'ARBRE DE NOËL CHANTANT

À Singapour, tous les magasins et tous les restaurants se munissent, comme nous, d'arbres de Noël, en cette saison. C'est assez étonnant dans un univers bouddhiste et musulman, car rien de tout cela, je présume, n'a vraiment de signification. Rien? Non pas tout à fait, car en me promenant dans un parc de Singapour, j'ai aperçu une gigantesque structure illuminée d'où semblaient provenir des cantiques de Noël. À l'autre bout du monde, j'étais tout ému de fredonner des airs que je connaissais. Cela me rappelait les Petits Chanteurs de Trois-Rivières.

Il s'agissait là d'un arbre de Noël chantant où plus d'une centaine de choristes se trouvaient installés sur chacun des dix étages d'une imposante structure métallique en forme de sapin de Noël. Il y avait un orchestre de trente musiciens ainsi que dix acteurs qui jouaient la scène de la nativité de Jésus. Les rois mages n'avaient pas un long chemin à faire pour venir admirer le nouveau-né aux yeux bridés!

J'ai eu quand même cette chance de célébrer Noël à l'autre bout du monde! J'avais même décidé d'en faire mon sujet de film. Une fois la représentation terminée, le pasteur, une femme qui dirigeait ces "chrétiens de la Trinité" m'a présenté à tout le monde.

Je n'ai pu conduire mon projet à terme, car la saison des pluies m'a forcé à m'enfermer trois jours à l'hôtel. Deux représentations sur quatre furent contremandées.

UN RÉVEILLON À L'AMÉRICAINE

Le vingt-quatre au soir, je me surpris à réveillonner tout seul dans un restaurant McDonald's. Ils sont partout ces restaurants, et j'avais l'occasion d'être dans celui qui est le plus achalandé au monde. Les rangées de clients allaient jusqu'au trottoir et les serveuses sortaient du restaurant avec des cabarets de frites qu'elles distribuaient pour accélérer le service. Un réveillon mémorable! J'ai cru intéressant d'envoyer comme cadeau de Noël à mon amie Elise un napperon écrit en chinois de ce McDonald's.

UN SPORT D'ACROBATES

Le lendemain de Noël, j'ai de nouveau ressenti la frustration de me remettre à la recherche d'un nouveau sujet de film trois jours avant l'envoi, face à l'implacabilité de l'échéance, une poussée d'adrénaline vint, comme d'habitude, m'aider à tout régler. Un combat à finir: tourner et trouver le fameux sujet!

On m'avait parlé du Sepak Takraw, le sport national de la Malaisie, une espèce de volley-ball avec le filet tel que nous le connaissons, le même carré de terrain, et les mêmes règlements, si ce n'est qu'on peut toucher le ballon avec toutes les parties du corps, sauf les mains.

Après en avoir vu une démonstration dans un centre communautaire, et après avoir remarqué ces incroyables "smashs" réalisés avec les pieds dans une pirouette à la Édouard Carpentier, j'étais sûr d'avoir trouvé mon sujet. Je me suis présenté auprès de l'association nationale des sports comme étant un reporter montréalais. Ils ont aussitôt fait, dans leur esprit, le lien avec les Jeux Olympiques de 1976 et j'ai eu droit à tous les honneurs. Ils m'ont même déniché pour toute la durée de l'après-midi, leur équipe nationale afin de réaliser la mise en scène dont j'avais besoin.

Cette semaine-là, j'ai obtenu au pointage quatre-vingt-un sur cent vingt pour un film spectaculaire, réalisé promptement et “payant”.

COMMENTAIRE DU FILM TREIZE
LE SEPAK TAKRAW

On voit un homme tressant une balle à la main. Cette simple balle de rotin joue un grand rôle dans la vie quotidienne des Malais et des Thaïlandais. On la retrouve dans toutes les petites boutiques d'artisanat traditionnel à un prix dérisoire...

Depuis toujours, elle a amusé les habitants des Kampungs; ces petits villages retirés où les loisirs les plus simples sont les plus populaires. L'enjeu, garder la balle dans les airs le plus longtemps possible sans se servir des mains.

D'une tradition rurale est né un sport national. Le "Sepak Takraw", une association de mots Malais et Thaïlandais que je traduirais par le "Frappe Ball".

On se croirait à un terrain de volley-ball, mais attention, les Malais sont un des rares peuples à ne pas jouer au volley-ball. (Peut-être qu'il leur manque quelques centimètres pour rejoindre le filet). La balle, elle, est toujours restée la même... Service s'il-vous-plaît.

Ces équipes de trois joueurs seulement doivent être super-entraînées. On commence très jeune. Ce sport fait partie de l'enseignement obligatoire de toutes les écoles primaires de la Malaisie, et depuis vingt ans on a exporté l'idée à travers les pays du sud-est asiatique.

Singapour compte à lui-seul quarante-huit clubs où l'on s'entraîne plus de deux fois par semaine.

Comme nous le disent ces officiers d'immigration Malais, la majorité des joueurs ont entre quinze et trente ans et s'entraînent après le travail. Il y a l'équipe des douaniers, celle des officiers d'immigration, plus tous les centres communautaires.

L'effort physique c'est bien beau, mais il faut se servir de sa tête... On voit aussitôt des joueurs manipulant la balle avec leur tête, comme on le voit souvent au soccer.

Alors certains sont portés à comparer ce sport au soccer, au "foot", quoi!

Un jeune joueur nous précise:

"Non, c'est très différent du soccer, car on peut donner le ballon à n'importe quel amateur, et il saura quoi en faire sur un terrain de foot. Mais le Sepak Takraw se joue dans les airs... ça prend une toute autre agilité pour faire des sauts acrobatiques. C'est extraordinaire la coordination et les smashs que peuvent faire une bonne équipe."

On voit aussitôt quatre ou cinq joueurs se passant la balle en accomplissant des pirouettes spectaculaires.

En gros, il s'agit de gagner le service, de ne pas faire plus de trois touches sur un côté de terrain, et d'atteindre quinze points pour remporter la victoire.

Singapour entraîne présentement son équipe pour les jeux du Sud-Est asiatique de mai 1983.

Un responsable du conseil des sports nous dit:

"Ce sport sera une discipline aux douzièmes jeux du Sud-Est asiatique ici même à Singapour. Nous affronterons l'équipe championne de

la Malaisie, ainsi que de la Thaïlande, des Philippines et de Bruneï. En 1982, Sepak Takraw fut pour la première fois présenté hors compétition lors des jeux d'Asie en Inde. Après les jeux olympiques et ceux du Commonwealth, ils sont troisième en importance. C'est présentement un sport en pleine promotion."

Ce qui fait la popularité de ce sport, c'est qu'il réunit le spectaculaire à la simplicité. On peut le jouer n'importe où, ça ne coûte rien et il procure autant de plaisir aux spectateurs qu'aux joueurs.

Peut-être qu'un jour on le fera sortir d'Asie.

CHAPITRE SEIZE

Des nids d’hirondelles à Bornéo

LE LENDEMAIN DE LA VEILLE

Il y a des jours où on a le vent dans les voiles, et où le bateau semble fendre vents et marées à vive allure. D'autres jours, le courant nous entraîne à la dérive. Quand je suis arrivé sur l'île de Bornéo... le lendemain de la veille, il n'y avait rien à faire. Rien ne voulait tourner rond.

Impossible de changer mon argent américain en dollars de Bruneï: Hôtels et auberges de jeunesse, tout était plein à craquer en ce temps des Fêtes et personne ne parlait anglais. Les portes toutes grandes ouvertes de l'église anglicane m'invitaient à venir me frôler aux courants d'air qui tenaient lieu d'assistance; il n'y avait là âme qui vive. Et de l'autre côté de la rue, le prêtre catholique, lui aussi dormait sans doute paisiblement...

En plus de mes déceptions, la chaleur accablante de la mousson venait paralyser chacun de mes mouvements. Seuls ma caméra de réserve, mes micros et mes câbles pouvaient m'apporter quelque consolation en ce lendemain de veille.

Radio-Canada nous avait tout de même encouragés à contacter Montréal à frais virés; mais on voulait absolument que je paie la communication sur place: trois minutes, trente-trois dollars. Presque le budget total de ma journée y passait... et à l'autre bout du fil, rien de bien encourageant pour moi, car Jean-Louis aussi avait fêté Noël. J'ai donc dû patienter jusqu'au lendemain matin!!!

De plus, mes bras commençaient à être tapissés de boutons rouges, probablement à cause de l'hôtel minable de la veille, ce genre d'hôtel où on passe la nuit à se faire bercer par le bourdonnement d'un maringouin "pas tuable"; ce genre de chambre où le plancher se met à "bouger" à chaque fois qu'on éteint la lumière... ce genre de chambre à vingt dollars où chaque soir on a droit à un concert "non-stop" donné par un couple de grillons cachés derrière le placard. Encore d'autres PAS TUABLES!

Mais la journée n'était pas finie. Je n'avais toujours pas trouvé de gîte. Alors je retourne voir le prêtre catholique qui m'accueille cette fois tout en restant de l'autre côté de son moustiquaire: "Si tu viens pour coucher ici, je n'ai pas de place!" Quel comité d'accueil! Il m'a expliqué plus tard que la police l'avait déjà accusé à plusieurs reprises de possession de drogue lorsqu'il hébergeait des voyageurs mal famés. Il me semblait pourtant qu'une barbe de deux jours, ce n'était quand même pas la fin du monde!

Néanmoins, après une courte messe, il daigna prêter une oreille attentive à ma situation difficile.

Un paysan travaille à la cueillette du sel à Bali.

Les cueilleurs de nids d'hirondelle à Bornéo.

À LA RECHERCHE DES NIDS D'HIRONDELLES

La soupe aux nids d'hirondelles est un des délices de la cuisine chinoise. J'étais intrigué par la façon dont on la prépare, mais surtout comment on s'y prend pour aller cherche la matière première: les nids.

Il s'agissait ici d'un autre de mes sujets préparés avant de partir. On m'en avait parlé au club Aventure de Montréal. C'est cette raison qui m'a amené dans ce coin de l'Asie.

Bornéo, étant la troisième plus grande île au monde après l'Australie et le Groenland, il fallait tout de même les trouver, les fameux chercheurs de nids.

Heureusement le prêtre que je venais de rencontrer connaissait le père de la mission située tout près de la grotte où l'on fait la cueillette de ces précieux nids. Il essaya tant bien que mal de le rejoindre avec un numéro de téléphone de trois chiffres (le luxe!), mais il n'y avait rien à faire. C'est plus facile d'appeler au Canada que de rejoindre son voisin à Bornéo... Je n'ai jamais pu parler à ce missionnaire par téléphone.

AU PAYS DES COUPEURS DE TÊTES

Autobus, traversiers, barrières de douane, passeport... Enfin je longeais la côte de l'île parsemée de puits de pétrole, de pompes et de tuyaux. Bornéo, ce n'est pas seulement le pays des Indiens aux longues oreilles et des coupeurs de tête, c'est aussi l'empire de la "Shell"!

Arrivé au terme de ce voyage le vent a tourné; la chance m'attendait. J'arrête la première jeep qui passe avant de m'enfoncer dans la jungle, et croyez-le ou non me voilà face à face avec le père missionnaire catholique qu'il m'avait été impossible de rejoindre par téléphone... Un hasard. Du coup, toutes les portes s'ouvraient; il m'a trouvé un hôtel, m'a présenté à tout le village, m'a aiguillé vers un Canadien anglais en poste pour SUCO dans la région...

Mais comme ce n'était pas la saison légale de la collecte des nids, ce Canadien m'a déniché deux intrépides chercheurs qui, pour trente dollars la journée, se sont fait un plaisir de défier les lois. J'ai pu réaliser toute la mise en scène que je voulais dans le décor féérique des grottes de Niah. L'entrée principale à elle seule atteignait soixante-quinze mètres de hauteur: une vraie cathédrale que mes deux acteurs se firent une joie d'escalader!

J'ai obtenu quatre-vingt-six sur cent vingt avec ce film diffusé le 22 janvier 1982. Et pour la première fois, je passais de la quatrième à la deuxième place au classement général, position que je garderais pour le dernier tiers de la course.

Mais le comble de l'histoire, c'est qu'avec toutes ces diverses aventures à Bornéo et à Singapour, je n'ai pensé qu'à mon film; je n'ai même pas saisi la chance de goûter à cette fameuse entrée aux nids d'hirondelles... Voilà jusqu'où peuvent aller la concentration et le sens professionnel! Je me reprendrai à Paris, à Montréal ou peut-être même à Trois-Rivières!

COMMENTAIRE DU FILM QUATORZE
D'UNE BOUCHE À L'AUTRE

À Singapour, les rues sont jalonnées de ces restaurants où l'on peut apprécier la très riche cuisine chinoise, et dans les endroits les plus chics, on peut se payer une entrée des plus originales. "La soupe aux nids d'hirondelles", un mets très recherché, aussi difficile à préparer que son principal ingrédient (le nid d'oiseau) est d'une incroyable rareté.

Il faut aller dans un coin perdu de l'île de Bornéo dans le Sarawak en pleine forêt tropicale pour découvrir une activité plusieurs fois millénaire.

Les grottes de NIAH sont parmi les plus grandes au monde et offrent un refuge à des millions d'oiseaux si minuscules qu'on ne peut pratiquement les distinguer qu'au son.

Le chercheur de nids nous raconte qu'il s'agit plus précisément d'une variété de martinets ne vivant qu'en Asie, et qui ont la propriété de produire un nid comestible, car il est fait essentiellement d'algues et de salive. Le mâle met plus d'un mois à le préparer.

On observe des échaufaudages entassés dans la grotte. C'est ici même à l'entrée de la grotte que les chercheurs de nids séjournent pendant les deux saisons légales de cueillette. C'est-à-dire, le printemps et l'automne.

Les instruments de bambou sont des plus rudimentaires, mais la réussite de l'opération dépend de l'habileté des grimpeurs qui doivent atteindre la voûte rocheuse.

Les multiples galeries et grottes de NIAH sont truffées de pôles perpendiculaires qui ne sont ni plus ni moins que plusieurs arbres aboutés les uns aux autres, parfois sur soixante mètres de haut. Fixés à la voûte rocheuse, on en compte plus d'une centaine, dont la majorité hante l'ombre des galeries. Ceux de la grotte principale tiennent maintenant depuis soixante-quinze ans.

À quatre kilomètres de tout générateur d'électricité, c'est un voyage dans le temps. On tombe rarement sur une galerie éclairée, le gros de l'ouvrage se fait donc dans l'obscurité. C'est depuis la Dynastie TANG sept cent ans après Jésus-Christ qu'on vient ici chercher la précieuse denrée.

Près de la grande ouverture, le site est régulièrement pillé et n'a malheureusement que peu à offrir. À un dollar le nid, c'est assez tentant d'enfreindre la loi.

C'est tout près, au village de NIAH que se fait la transformation de la matière première... Les nids sont nettoyés, débarrassés du duvet et séchés au soleil. Il ne reste alors plus que la salive fibreuse qu'on moule en espèces de galettes propres à être exportées dans les grands centres: Hong-Kong, Pékin, Singapour, contre trois cent cinquante dollars U.S. le kilo.

Ensuite ce n'est plus que de la cuisine. Chaque restaurant a sa recette et on joue sur la présentation pour justifier le prix. Les pains de nids en portions collectives ne sont même pas bouillis; ils sont seulement trempés et détachés en espèce de petites nouilles fibreuses qu'on plonge dans un bouillon de poulet ou de légumes.

Importante composante de la médecine traditionnelle chinoise, le nid d'hirondelle fait le délice des connaisseurs. Les Chinois en raffolent. C'est un luxe qu'on aime bien s'offrir.

Après tout, cette soupe revient quand même à un prix abordable!

CHAPITRE DIX-SEPT

Sur une autre planète, au Japon

Le 9 janvier 1983

120e jour

TOKYO - Pour la première fois, la barrière du langage devient dramatique. Quoi qu'on en pense, Tokyo n'est pas une ville très américanisée. Le métro avec ses onze lignes en spaghetti, ses corridors, ses affiches et ses indications, tout y est écrit en japonais! Dès qu'on s'éloigne du centre-ville, on ne peut plus rien faire tout seul. Je m'étais quand même préparé au grand dépaysement, mais je n'avais encore rien vu: il me faut parler ici d'égarement.

Les plus simples conventions tombent soudainement dans ce pays... on ne touche jamais à la portière d'un taxi: le conducteur en uniforme et en gants blancs s'empresse toujours de l'ouvrir ou de la fermer à partir de gadgets qu'il a sur son tableau de bord. De plus, quand on leur donne l'adresse où on veut se rendre, ils ne savent jamais où déposer le client car ils ne connaissent que le nom des quartiers de la ville. Au Japon, seuls les facteurs connaissent les rues et les numéros de portes.

J'étais pourtant dans l'univers de l'électronique et des calculatrices, mais même à mon hôtel, on n'utilisait jamais de machine. Quand venait le temps de payer, tous sortaient leur boulier de bois pour compter. J'avais une fois de plus l'impression d'avoir dormi dans un avion et d'être atterri sur une autre planète!

Mario et sa jeune guide japonaise dînant sur les tatamis.

La famille qui m'a si généreusement hébergé lors de mon séjour à Tokyo.

Trois jeunes femmes ravissantes portant chacune une étole de fourrure. On reconnaît, derrière, le sigle familier des restaurants McDonald's où à Tokyo, un Big-Mac se détaille 370 yens et où les gens raffolent de la soupe au maïs, une particularité régionale adaptée au "fast-food".

ACCUEIL BRIQUE ET FANAL!

Comme à Singapour, l'ambassade attendait la venue de M. Trudeau, premier ministre du Canada. On n'avait pas plus de vingt minutes à me consacrer pour la Course autour du monde. C'est pourquoi je me suis réfugié à la délégation du Québec... Mais c'est là que j'ai passé au cash...

"Si t'es pour nous faire niaiser comme les autres qui sont passés avant toi... tu perds ton temps". Voici un détail auquel je n'avais jamais pensé; les candidats qui nous précèdent peuvent aussi bien nous préparer le meilleur terrain que nous mettre les pires bâtons dans les roues. "Je m'en fous que tu sois deuxième, François Dauteuil, l'année passée lui aussi était deuxième au début de la course...".

Il me fallait donc gagner leur confiance, car ils avaient beaucoup travaillé, disaient-ils, pour François Dauteuil l'an passé. Ils avaient fait des recherches, ils avaient téléphoné à travers tout le Japon, ils lui avaient même arrangé des tas de rendez-vous auxquels François n'avait même pas, semble-t-il, donné suite, car il était fatigué. Et

Georges Amar, qui était passé deux mois avant moi, avait fait la même chose, toujours selon eux.

La pire humiliation qui soit pour un Japonais, c'est de perdre la face, et la secrétaire de la délégation du Québec l'avait déjà perdue plusieurs fois.

Il approchait midi. Nous avons réglé tous ces conflits et ces désillusions autour d'une bonne table. Les trois Québécois avec qui j'étais attablé m'ont initié à la cuisine japonaise tout en me parlant du TATAMI.

LE TATAMI: UN RECORD

En moins de deux heures, j'avais trouvé mon sujet: le tatami, ou plancher traditionnel japonais. Il est fait de paille toujours tressée à la main, même dans ce pays de l'automatisation et des robots. Un contraste magnifique... On célèbre, et on fait même du judo. Les tatamis, qui ont toujours un mètre de largeur sur deux de longueur, servent même d'unité de mesure pour les appartements. Au Japon, on ne parle donc jamais d'appartements de trois pièces ou de cinq pièces, mais on annonce des pièces de cinq ou de six tatamis!

Ce fut un film assez difficile à réaliser car en principe ce n'est pas un sujet très vivant. Mais j'ai réussi à me dénicher un artisan, fabricant de tatamis. Comme ce dernier ne parlait que japonais, je me suis aussi trouvé une interprète, étudiant à l'Office franco-japonais. J'ai toujours eu horreur d'engager des guides de l'État.

Un seul problème au tableau, mon étudiante était tellement impressionnée par mon artisan qu'elle n'osait jamais lui demander de répéter son travail, quand je voulais une reprise.

L'essentiel, c'était ces scènes de vie familiale autour d'un tatami. Je voulais filmer dans une maison... C'est étrange, mais ce fut la chose la plus difficile à obtenir. Les Japonais sont très gentils pour aider dans la rue, mais jamais on ne peut pénétrer dans leur intimité facilement.

Comme c'est arrivé plusieurs fois pendant la course, j'ai rencontré une exception à la règle: un professeur d'anglais travaillant au plus grand journal de Tokyo m'a invité chez lui spontanément. J'ai filmé sa famille jusqu'à deux heures du matin, et la seule monnaie d'échange de cette aventure a été que je donne la leçon d'anglais de la semaine devant ses étudiants. Dans leur livre on parlait de Montréal et ils n'arrivaient pas à croire que cette ville soit une île.

Avec quatre-vingt-dix-sept sur cent vingt au pointage de la semaine, je battais mon propre record. Je me retrouvais premier de la semaine en gagnant trente points sur le leader Alain Brunard, qui venait de "prendre une débarque" en Inde.

Ce succès m'a fait oublier les cent cinquante dollars que j'ai dû débourser à un chauffeur de taxi pour remettre ce film à temps à l'aéroport!!!

Cela fait partie des règles du jeu.

La semaine prochaine... enfin la Chine.

COMMENTAIRE DU FILM QUINZE
LE TATAMI

C'est peut-être dans la société japonaise que co-existent les contrastes les plus surprenants au monde. Dans la capitale même des calculateurs, des robots et de l'électronique, le Japonais semble toujours conserver les habitudes et les traditions par lesquelles il s'est de tout temps distingué des autres peuples.

Lorsqu'il n'est pas au boulot ou en train de dévorer une revue de bandes dessinées dans les transports en commun, le Japonais passe le reste de son existence sur le TATAMI, peut-être encore la seule invention véritablement japonaise.

Il s'agit d'un plancher qui n'a rien à voir avec les matières plastiques ou synthétiques qu'on connaît. Ce plancher est vivant. Il est fait de nattes de paille de riz tressées... On le traite avec des gants blancs, et on le respecte pour son origine et son confort.

Une pièce peut contenir entre trois et dix tatamis juxtaposés les uns aux autres... Et même dans ce pays du travail à la chaîne, pour soixante-quinze dollars, on les fait fabriquer sur commande, un par un à la main, avec des instruments que les siècles n'ont aucunement altérés.

La base n'est que de la paille pressée et tout l'art du maître consiste à donner la bonne forme d'épaisseur, la finition et la bordure au TATAMI.

Comme il fait très froid à TOKYO et que seuls les hôtels ont le chauffage central, le tatami est en plus un isolant de première classe. Il garde la chaleur l'hiver et il reste frais pendant l'été.

On aime bien vivre sur un plancher de tatami surtout à cause de la sensation qu'on en retire. Le tatami est confortable, doux au toucher, il oblige à enlever ses souliers et donc à prendre un autre rythme de vie. Et lorsqu'on change le tatami une fois tous les deux ou trois ans, le parfum très naturel des nouveaux tapis encore verts remplit toute la maison; et le soir on a un peu l'impression de dormir dans un champ, un champ de riz.

On débarrasse la table pour installer un FUTONG, la simple paillasse qui sert de lit.

Habitudes et traditions se rencontrent autour de la célèbre cérémonie du thé vert qu'on associe au tatami. Il en est de même du KOTO, instrument de musique traditionnel du Japon. Voilà deux activités dont le TATAMI constitue l'unique théâtre.

Même si les jeunes semblent montrer moins d'ardeur à sauver les richesses du passé, le tatami est un des rares éléments qui entre toujours dans la décoration de leur quartier.

Le tatami est presque une institution à travers tout le Japon. Comme chaque unité fait à peu près un mètre sur deux, il est la seule unité de mesure des appartements et même des terrains. Lors des transactions immobilières, on parle de pièce à quatre ou à six tatamis et les gens savent tout de suite à quoi s'en tenir.

Le tatami est le seul témoin du Japon d'hier et d'aujourd'hui. Autrefois le symbole d'une réussite sociale, réservé aux classes supérieures, on le retrouve maintenant dans toutes les maisons, à la fois une image du passé et de l'avenir.

J'ai terminé ce film avec une image et une musique empruntées à **"2001 l'Odyssée de l'Espace".**

J'y ai même fait figurer un Japonais, passant la main sur un tatami installé debout à la façon du monolithe dans le célèbre film... "Une image pleine de sens" qui a fait fureur.

CHAPITRE DIX-HUIT

Tribulations d'un trifluvien en Chine

Statue de glace

Le 19 janvier 1983

130e jour

Mon aventure en Chine commence par une attente de six heures à l'aéroport de Tokyo, une escale forcée à Shanghai et une nuit d'hôtel aux frais de l'unique compagnie d'aviation chinoise, CAAC. En Chine, les aéroports ferment tous à minuit et comme on était parti de Tokyo à vingt-deux heures, on n'a pas pu faire d'une seule envolée le voyage pour Pékin.

On se demande souvent dans nos pays comment on fait pour distinguer un Chinois d'un Japonais... Au Canada, c'est difficile parce qu'ils s'habillent à peu près tous comme nous. Mais là-bas, la différence est flagrante. Les Chinois sont tous habillés de la même façon. En brun ou en bleu, ils ont presque toujours la même coupe d'habit. D'ailleurs, je n'y ai jamais rencontré de femme en jupe, pendant les dix-sept jours passés dans le pays. Il faut dire qu'on était en janvier. Ils sont tous vêtus de vestons et de pantalons, et portent les cheveux courts. J'ai toutefois rencontré une exception à la règle: un jour à l'aéroport, une hôtesse de l'air était maquillée. Un cas isolé, ça faisait drôle! Cela me donnait un avant-goût de ce que j'allais vivre dans le pays.

PÉKIN

Comment toute la population du Québec pourrait-elle être contenue dans cette seule et unique capitale, Pékin, où pas une bâtisse n'excède deux ou trois étages? Je ne sais pas, mais c'est la réalité. J'étais dans une des plus grandes concentrations au monde. Les buildings élevés sont uniquement à l'usage des étrangers et des hôtels internationaux.

En tout cas, ils ont réglé les problèmes de circulation car il y a toujours trois voies dans les rues... Une voie pour les autobus, les taxis, les autos, et deux autres voies pour les vélos! C'est le monde à l'envers. En Chine, posséder une bicyclette, c'est le symbole de la réussite sociale.

Les photographes de la cité interdite. Les Chinois adorent se faire photographier. On les voit ici, mettant leur tête dans l'orifice de ce tableau de cavaliers chargeant l'attaque.

TOUT PRÈS DE LA SIBÉRIE

Si j'ai réussi à obtenir un visa individuel aussi facilement pour entrer dans cette Chine très fermée, c'est parce que je savais exactement ce que je voulais faire. Après avoir lu un magnifique reportage dans une revue chinoise avant de partir, je désirais tourner mon film sur le festival des lanternes de glace à Harbin, dans une province adjacente à la Sibérie. J'étais le troisième candidat à aller en Chine sur les cinquante-six jeunes participants à la course en sept ans, et le premier de tous à sortir de Pékin, pour tourner mon film.

Au mois de janvier, la moyenne des températures était de moins vingt Celsius à Harbin, et on m'a informé qu'il faisait moins trente avant que je m'y rende... À Pékin, j'arrivais tout de même à supporter le point de congélation avec mes seuls coupe-vent, pantalons et souliers de suède. De septembre à janvier, je n'avais parcouru que des pays tropicaux; et je n'avais vu que l'été. Mais là, en une semaine, j'allais écoper pour tout ce que j'avais manqué au Québec en températures froides.

J'ai donc commencé par visiter les magasins de Pékin, pour m'acheter les mêmes vêtements que ceux des Chinois. J'ai rencontré les correspondants internationaux de Radio-Canada et du journal "Le Monde". Ces derniers se sont empressés de m'offrir un gros manteau de duvet pour compléter ma garde-robe.

Une fois atterri à Harbin, dans ce pays du froid, je me suis vite aperçu que j'avais oublié l'essentiel... des bottes. J'étais encore avec mes souliers percés à moins trente degrés Celsius. Des professeurs d'anglais, rencontrés à l'aéroport, m'ont cordialement accueilli et dirigé dans la ville.

UN QUÉBÉCOIS AUDACIEUX

L'ambassade du Canada m'avait référé à Jean Duval, le seul Québécois à Harbin, et certainement celui qui parle le mieux le chinois dans tout le Canada. C'est le traducteur officiel pour toutes nos correspondances avec la Chine. Mais c'est aussi un bonhomme très spécial. Jean, c'est un marginal qui donne l'image d'un pacha, entouré d'une cour de Chinois à son service, et qu'il prend plaisir à taquiner. Il m'a invité à coucher à son école, alors qu'il n'en n'avait même pas le droit. Et la police est venue l'interroger. Il m'a offert un festin, et le lendemain nous avons utilisé le camion de l'école pour nous promener à travers la ville qui était toute décorée de sculptures de glace. Il m'a aidé à filmer et il a même monopolisé pour moi tout un atelier de lanternes en racontant que je venais de la télévision du Canada, de la France, de la Suisse, de la Belgique, du Luxembourg, de Monaco et des États-Unis! Ils se sont fait passer un "chinois".

LES LANTERNES DE GLACE

On connaît tous les lanternes chinoises en papier. Celles-ci font chaque année l'objet d'un festival à la grandeur de la Chine. Cependant dans certaines villes du Nord, autrefois, ils étaient tellement pauvres qu'ils ne pouvaient même pas se payer le papier pour fabriquer les fameuses lanternes. Alors les paysans utilisaient les moyens du bord en sculptant des oeuvres dans la glace pour les éclairer avec une bougie. Une explosion de couleurs et de formes jaillit des glaces chaque année.

Avec quatre-vingt-quinze sur cent vingt, je me classais le premier de la semaine pour une deuxième semaine consécutive, même si un juge français m'a octroyé onze alors que tous me donnaient seize ou dix-huit sur vingt.

J'ai tellement aimé mon expérience en Chine, que j'ai décidé d'allonger mon séjour d'une semaine en ce pays, afin de visiter une montagne sacrée et de guérir ma grippe de... harbin!

Les merveilleuses sculptures de glace du festival des lanternes de glace de Harbin. (Chine)

COMMENTAIRE DU FILM SEIZE LUMIÈRE APRÈS DIX ANS DE TÉNÈBRES

Il y a un moment dans l'année où tous les Chinois retombent en enfance... À l'usine, à l'école et à la maison on s'apprête à décorer les lanternes.

Un artiste nous raconte tout en fabriquant une lanterne.

"YAN YAN YON YAN!!! - En Chine le calendrier officiel suit le cycle de la lune! Le Nouvel An chinois n'arrive donc jamais à la même date. Cette année, on le fête le treize février. Mais quinze jours après, il y aura une fête encore plus importante, la fête des Lanternes. Dans la tradition les gens sortaient dans les rues le soir pour contempler la pleine lune, se munissant de lanternes multicolores qu'ils prenaient plaisir à décorer pour l'occasion".

Une fête à la grandeur de la Chine à laquelle tout le monde peut se permettre de participer... Tout le monde ou presque, car dans certaines régions du Nord dans la province d'Heilongjiang adjacente à la

Sibérie, l'hiver était tellement dur que dans certains villages de pêcheurs, on ne pouvait même pas se payer le tissu ou le papier pour fabriquer les fameuses lanternes.

Pour fêter comme tout le monde, on s'est mis à utiliser ce qui coûte encore moins cher... de la glace... des champs de glace... Même pas besoin de coupons de rationnement. Cette fois, tout le monde aura droit à son morceau.

Dans la tradition, chaque paysan sculptait sa lanterne selon la fantaisie de son talent et l'installait dans sa petite cour près d'une bougie qui lui apportait la vie. Mais aujourd'hui c'est devenu la façon des gens du nord de fêter les lanternes.

Maintenant chaque année, la ville de Harbin engage ses meilleurs sculpteurs pendant la saison froide, pour redonner à cette capitale du Nord, ses habitudes ancestrales et les couleurs, que la révolution culturelle avait ternies.

Mais l'événement a dépassé la simple fête paysanne. Ce ne sont pas des idéaux moralistes ou propagandistes qui dictent les formes de ces oeuvres de cristal. On recherche le simple plaisir de l'oeil. Oui c'est le retour progressif à l'art pour l'art après ces années ou toute forme d'expression ne devait servir qu'à la course du prolétariat.

On recommence à faire revivre les figures de la Mythologie chinoise: CHANGI, la femme qui s'est réfugiée sur la lune; les représentations de la sagesse; le symbole de la longévité. Le tout rassemblé dans une Olympe des plus hétéroclites où la bougie est maintenant rendue entre les mains d'une équipe d'ingénieurs qui n'ont pas froid aux yeux.

Certains monuments nationaux comme le temple du ciel de Pékin retrouvent même leurs jumeaux sculptés dans la glace.

La fête des lanternes de papier ou de glace fut interdite pendant les dix ans de révolution culturelle, considérée comme faisant partie d'un passé décadent. Mais elle est ressuscitée depuis cinq ans. Ces lanternes de glace, telles que nous pouvons les contempler à Harbin, nous éclairent donc aujourd'hui sur un passé ignoré par une génération toute entière. Harbin devient à chaque année un nouveau petit Louvre et les Chinois y viennent de tous les coins du pays pour au moins le temps d'une visite... sortir des ténèbres.

CHAPITRE DIX-NEUF

Ping-pong à Pékin
Chine

Le 26 janvier 1983

137e jour

Ping-pong... Ne trouvez-vous pas que ce mot sonne chinois?... Imaginez une table de cent km carrés, comme la ville de Pékin, un filet qui divise les districts, comme le boulevard principal de la capitale, et à droite, l'ambassade du Canada et l'agence de tourisme qui se préparent à jouer contre l'administration et les services publics chinois à gauche... Moi dans tout cela, je fais la balle!!! Lors de mon arrivée à Pékin, ce fut la mise au jeu!

C'est alors que commence ma course d'un clan à l'autre, toujours à la recherche du bon formulaire, à l'affût des meilleurs délais, en insistant sans jamais les froisser. Les démarches sont interminables; ça prend une éternité pour obtenir quoi que ce soit dans ce pays.

Après cinq jours de recherches, de bonds et de rebonds frustrants, Don Murray, le correspondant de Radio-Canada me parle d'une certaine montagne sacrée à sept cents km de là. Au contraire des Chinois, elle ne fuirait pas devant ma caméra...

À Pékin.

MATCH NUL

À l'intérieur de la gare de Pékin, au cours d'une autre de mes fameuses parties de ping-pong qui dura bien une heure et demie cette fois, le match était toujours nul. Je courais sans cesse d'un guichet à l'autre sans jamais arriver à me procurer mon billet de train pour atteindre la montagne sacrée.

En Chine, les étrangers sont toujours obligés de voyager en première classe pour ne voir que le bon côté du pays. Or, il n'y avait pas de place disponible dans cette classe d'élite, pour toute la semaine, à cause des vacances des Fêtes... J'ai tout fait pour voyager en deuxième classe, comme tout le monde. Mais ils ne voulaient absolument pas qu'un étranger écope d'un dix heures de train debout, sans siège... C'est contre l'éthique, en Chine. S'il ne s'était agi que de moi, je les aurais bien fait sur les mains ces dix heures! Je voulais partir à tout prix... J'avais déjà perdu trop de temps dans la capitale.

C'est alors qu'un nouveau joueur est venu se joindre à mon équipe: un Chinois de vingt-trois ans, étudiant l'anglais à l'Institut des langues de Pékin. Certainement un envoyé du ciel... Mais il fallait le voir; il s'est carrément invité à mon hôtel pour un soir, en m'assurant que le lendemain matin, nous serions en route vers la montagne sacrée. J'étais sceptique, mais nous avons conclu le marché en vitesse.

Arrivés à l'hôtel, les problèmes recommencèrent de plus belle. Je n'avais pas le droit d'amener un Chinois dans ma chambre sans donner mes raisons, signer et contresigner un papier dégageant la responsabilité de l'hôtel!

Mon Chinois, lui, était instantanément tombé en amour avec ma salle de bains. Il a pris douches par dessus bains par dessus douches, pendant plus d'une heure. Issu d'une classe très moyenne, il nageait soudainement dans un luxe qui l'excitait. Il n'arrivait plus à se contenir devant les superbes lits qu'il prenait plaisir à tâter.

J'ai finalement réussi à le calmer en lui faisant écouter mes cassettes de Rocky III... un exploit! Il s'est endormi en même temps que les piles de mon magnétophone!!! J'avais rendu un Chinois heureux!

La montagne sacrée.

TAÏSHAN, la montagne sacrée

Mon nouvel ami, Zhangyan avait tenu parole... Nous avons réussi à nous faufiler dans le train, en ne payant qu'un billet de quai à dix cents... Ce genre de billet nous permettait d'entrer dans la gare seulement pour aller saluer les voyageurs au quai de départ...

Une fois à bord, il y avait deux fois trop de monde, mais tous les Chinois se sont tassés pour m'offrir une place assise, par respect pour les étrangers. Cependant, mon Chinois a trouvé le contrôleur un peu moins indulgent: nous avons payé une fois dans le train.

Une fois rendu au Mont Taïshan, la montagne de l'est, j'ai escaladé les six mille marches qui se déploient de station en station et de temple en temple jusqu'au sommet, jusqu'à la Porte du Ciel! Les Chinois prennent une journée à monter pour simplement assister au lever du soleil, au-dessus de la mer des nuages. Cela m'a permis de tourner des images superbes. Mais sur l'autre versant de la montagne, on était en train de construire une remontée mécanique... Un petit contraste d'époque avec les temples, mais une initiative qui mettra peut-être fin à la misère humaine entourant cette montagne, car jusqu'à maintenant tout est monté à dos d'homme... même mes caméras et mon trépied...

Mais cet effort aura été largement récompensé car j'ai obtenu cent six sur cent vingt, le record de pointage de cette année dans la course. Et un des juges belges, alors sur le point de partir pour la Chine, a précisé qu'il espérait en rapporter d'aussi belles images... Une telle remarque flatte l'ego!

En Chine, seulement vingt régions sont ouvertes au tourisme et la Montagne Sacrée n'en fait pas encore partie. C'est seulement une fois rendu au sommet, toutefois, qu'on m'a demandé si j'avais l'autorisation spéciale de circuler hors-zone touristique... Je ne pouvais quand même pas retourner à Pékin... Mon compagnon chinois a tout arrangé. J'ai finalement gagné... ma partie de ping-pong, en même temps que j'atteignais des sommets!

Au sommet de la montagne sacrée, après avoir gravi six mille marches.

COMMENTAIRE DU FILM DIX-SEPT

TAÏSHAN MA MONTAGNE SACRÉE

Les poètes et les peintres chinois ont de tout temps puisé leur inspiration des plus grandes ressources naturelles du pays.

Dans la Chine traditionnelle, les montagnes avaient toutes le privilège d'être déifiées. Cependant cinq d'entre elles jouissent depuis des siècles d'un culte extraordinaire. Les cinq montagnes sacrées situées au centre de l'extrémité des quatre points cardinaux ont la vocation d'être les piliers qui retiennent le ciel au-dessus de la Chine.

J'ai voulu m'approcher d'un de ces joyaux de la nature pour savoir ce que devient une montagne sacrée dans un univers officiellement athée!

Je me suis rendu au Mont Taïshan, la montagne de l'Est la plus célèbre des cinq, car à cause de ses deux milliards d'années de formation on dit qu'elle a vu naître la Chine.

J'ai découvert un musée à ciel ouvert, des temples et des bâtiments colorés encore hantés par les esprits des empereurs qui les honoraient de sacrifices et de pèlerinages saisonniers.

Ce fut aussi un voyage dans le temps où je me suis senti, comme à plusieurs reprises au cours de cette course autour du monde, comme un Extra-Terrestre qui essaie de s'insérer dans un autre univers. Mais j'ai surtout rencontré des Chinois curieux!

Des Chinois curieux de fouler le sol des grands de leur monde, curieux de s'aventurer dans les forêts de pierres calligraphiées où sont immortalisées quelques pages de l'histoire ancienne, curieux de savoir s'ils pourront réussir une ascension qui les mènera vers les sommets enneigés, s'ils pourront défier les six mille marches menant vers la Porte du Ciel.

À mille cinq cents mètres, voici la frontière entre le monde des hommes et le ciel. On dit que ceux qui l'atteignent, deviennent des êtres célestes; c'est la porte de l'Immortalité.

La seule récompense des bienheureux sera d'assister le lendemain matin, au-dessus de la mer des nuages, à la naissance d'un nouveau jour.

Ils descendront au cours du reste de la journée et pourront maintenant raconter toute leur vie, leur brillant pèlerinage au Mont Taïshan.

Non, je n'ai pas rencontré de pieux Chinois accroupis sur leur Bouddha, seulement de vieux Chinois croupissant sous leur joug de bois.

Même aujourd'hui on monte encore tout à la main; il n'y a rien au sommet. La montagne est entretenue par une armée de porteurs qui voyagent entre ciel et terre. Ce sont les mêmes qui ont construit les temples qui enrichirent la montagne au cours des siècles et des dynasties. Et même aujourd'hui on entreprend la construction du dernier des temples, celui de l'avenir.

À proximité du ciel, ces travailleurs vivent leur purgatoire à casser de la pierre.

J'ai interrompu quelques travailleurs pour leur parler. Ces hommes vivent au pied de la montagne et doivent se lever à quatre heures du matin pour en faire l'ascension en un temps record de trois heures et redescendre dans l'obscurité le soir s'ils veulent voir leur famille.

À coups de pioches, ils construisent une remontée mécanique qui amènera les vieillards, les femmes, les enfants, les vivres et qui mettra peut-être fin à la misère humaine entourant cette montagne sacrée.

Après le tournage de ce film, lorsque je me suis arrêté devant mon journal, je me suis surpris à croire que dans un an, plus personne n'aura besoin de faire d'efforts pour aller au ciel!

Bonenfant progresse

TROIS-RIVIÈRES (JP) — Le dernier film de Mario Bonenfant, "L'Odyssée des tatamis" tourné à Tokyo fut une révélation. Le jeune cinéaste globe-trotter de Trois-Rivières a démontré hors de tout doute une grande maîtrise de sa caméra et des talents certains pour le traitement du sujet.

Son pointage de 97 points, la plus haute note récoltée par un Canadien dans cette course lui a donné une excellente avance sur ses poursuivants au deuxième rang. Il a par la même occasion retranché trente-cinq points sur la différence qui le sépare du meneur de la course, Alain Brunard.

La course achève et Bonenfant ne semble pas s'épuiser; au contraire il progresse toujours. Ce sera à voir encore ce soir à 17h sur le réseau de Radio-Canada.

Voici le classement actuel:

16e semaine de course

NOMS	PAYS	PTS	MOY
Alain Brunard	Luxembourg	1134	81
MARIO BONENFANT	**Canada**	**1089**	**77,7**
Marc de Hollogne	Luxembourg	984	75,6
Rafael Guillet	Suisse	1058	75,5
Jean-François Cuisine	France	1037	74
Anne-Christine Leroux	France	1033	73,7
Georges Amar	Canada	992	70,8
Yves Godel	Suisse	874	67,2

Pour participer à La course

La présente série de télévision La course autour du monde n'est pas encore terminée que déjà Radio-Canada fait part qu'il est temps de s'inscrire pour la série 1983-1984. Au cas où les succès du Trifluvien Mario Bonenfant cette année auraient donné le goût de la chose à nos jeunes cinéastes, voici où il faut s'adresser pour obtenir des formulaires d'inscription: La course autour du monde, C.P. 2600, Succursale C, Montréal, H2L 4K6.

le nouvelliste
500, St-Georges G9A 5J6 Trois-Rivières TÉL 376-2501
LE NOUVELLISTE, lundi 7 mars 1983 / 13

Mario Bonenfant

A la course autour du monde

Bonenfant finit au second rang

par Jacques Pronovost

TROIS-RIVIERES — Malgré des performances extraordinaires dans les dernières semaines, le jeune cinéaste globe-trotter de Trois-Rivières, Mario Bonenfant, n'a pas réussi à devancer le meneur de la "Course autour du Monde", série télévisée au réseau de Radio-Canada.

Bonenfant a finalement terminé au deuxième rang, cinq points seulement derrière le Luxembourgeois Alain Brunard.

Avec un pointage-record de 106 points la semaine dernière, Bonenfant s'était approché à quatre points du meneur. Samedi, il a récolté 96 points pour son film sur les problèmes de la dot en Inde. Brunard était cependant crédité de 97 points pour le sien traitant des guerres de religions à Belfast. Ce seul point de différence consacrait officiellement sa victoire sur Bonenfant.

Le Luxembourgeois reçoit donc le premier prix de $10,000 et le jeune Trifluvien s'enrichit de $6,000 avec sa deuxième position. **"Mais le plus important c'est l'expérience qu j'ai acquise dans cette aventure"**, commentait Mario Bonenfant.

Ce dernier reviendra au Québec dimanche prochain et déjà un vaste mouvement s'organise dans la région pour faire en sorte que le public qui l'a suivi et appuyé dans son périple autour du monde puisse aller l'accueillir à l'aéroport de Trois-Rivières.

le nouvelliste

Supplément du week-end samedi le 5 février 1983

Bonenfant: un record?

TROIS-RIVIERES (JP) — Mario Bonenfant, le jeune cinéaste trifluvien qui participe à la "Course autour du monde" présentée le samedi à 17 heures sur le réseau de Radio-Canada, se maintient fermement en deuxième position sur les huit concurrents.

Le .Nouvelliste a même appris en coulisses que Bonenfant obtiendra un pointage record pour lui ce soir avec son film sur les tapis "Tatamis" au Japon. C'est donc à suivre.

Voici le classement actuel:

16e semàine de course

NOMS	PAYS	PTS	MOY
Alain Brunard	Luxembourg	1072	82,4
MARIO BONENFANT	**Canada**	**992**	**76,3**
Rafael Guillet	Suisse	978	75,2
Marc de Hollogne	Luxembourg	984	75,6
Anne-Christine Leroux	France	968	74,4
Jean-François Cuisine	France	960	73,8
Georges Amar	Canada	913	70,2
Yves Godel	Suisse	874	67,2

CHAPITRE VINGT

ALERTE ROUGE

Le 7 février 1983

149e jour

Alerte rouge... c'est le branle-bas de combat. Les grands stratèges de la Course autour du monde se réunissent d'urgence au septième étage de la tour de Radio-Canada... pour me téléphoner et me prodiguer quelques conseils. La tension montait chez Richard Gay, Reine Malo, Jean-Louis "notre coach" et Claude Morin des Émissions Jeunesses. Toujours deuxième au classement, j'étais trop près de la victoire pour me permettre une erreur, une gaffe ou une faiblesse, en cette dernière semaine de course.

Sur mon billet d'avion, il me restait quand même trois pays à parcourir, car je m'étais trop attardé en Chine et à Singapour. Je devais donc choisir entre le Bangladesh, l'Inde et la Turquie pour finir mon périple; trois pays assez difficiles... Et l'atmosphère était toujours très tendue car à Paris comme à Montréal, on avait peur que je me "casse la figure". Il n'en tenait qu'à moi.

Départ de Pékin à six heures du matin, arrêt dans une première ville chinoise, attente, formalités, nouveau décollage... Escale de six heures à Hong Kong, changement de compagnie aérienne, décollage, escale technique à Bangkok, puis finalement ouf... arrivée à quatre heures du matin à New Delhi en Inde. Ce fut le pire déplacement de toute ma course.

J'ai choisi l'Inde pour plusieurs raisons. Entre autres, parce que j'avais un bon sujet de film en réserve à tourner dans la capitale. De plus, mon allocation bi-mensuelle de six cents dollars m'attendait l'à-bas dans une banque... J'avais aussi choisi l'Inde parce qu'on retrouve, dans ce seul pays, près du quart de la population mondiale, confinée dans un petit triangle à peine plus grand que le Québec.

INDE
New Delhi

Non, je n'ai pas vu en Inde ce que j'avais toujours imaginé. C'était l'hiver; pas de chaleurs écrasantes, ni d'odeurs désagréables, si ce n'est à proximité des centres de crémation à ciel ouvert. J'étais surpris de constater qu'il faisait froid et que je devais toujours porter gilets et coupe-vent.

Non, je n'ai pas vu ces jeunes mendiants que des parents rendent infirmes par toute sortes d'atrocités allant même jusqu'à leur entrer une aiguille dans la colonne vertébrale. Ainsi, ils attirent mieux la pitié lorsqu'ils mendient, et rapportent plus d'argent à la maison.

Non, je n'ai pas vu les fameux camions ramassant, dès l'aurore, ces corps maigres qui venaient de vivre leur dernière nuit de misère. Non, je n'étais ni à Bombay ni à Calcutta. J'étais à New Delhi, dans la capitale nationale, une ville aseptisée et certainement bien loin de la réalité cachée dans l'arrière-pays. De plus, j'arrivais en pleine période d'élection, au moment où Mme Gandhi était aux prises avec une majorité de partisans qui diminuait toujours.

Disons que j'ai vu une autre sorte de misère... C'est incroyable! J'aurais pu revenir de l'Inde tout nu, sans caméra ni valise... Non par un phénomène d'ascétisme ou de lévitation, mais par celui d'un marchandage, qui est l'art suprême en ce pays. À chaque fois que je sortais avec mon gilet simili-velours, mon coupe-vent ou mes jeans, les gens de l'hôtel me déshabillaient des yeux et se voyaient déjà dans mes vêtements.

"Combien veux-tu payer pour l'hôtel", me demandait le gérant le lendemain matin... quatre-vingt-dix roupies (quinze dollars): on m'avait dit que c'était très raisonnable... "Et bien je te la fais à soixante-quinze roupies... mais t'aurais pas un cadeau; du linge ou autre chose pour moi?" Pendant toute la semaine, ce fut la même chanson. Ils ne mendiaient pas, ils pouvaient payer. C'est parce qu'ils n'ont rien de cette lingerie occidentale dans leur pays qu'ils la veulent à tout prix. Après quatre jours, ils ont compris que je n'avais que cet ensemble à me mettre sur le dos et qu'il n'y avait rien à espérer d'un soudain dépouillement de ma part.

Ils essayaient quand même de marchander avec moi, car à chaque année, des milliers de Français ne viennent en Inde que pour cela. Ils connaissent le truc, alors ils emportent toujours quatre ou cinq paires de jeans dans l'intention de les échanger ou de les vendre pour se faire de l'argent et voyager plus longtemps. Certains vont même jusqu'à vendre leur passeport pour s'acheter de la drogue... et ainsi faire durer un autre genre de voyage... Un passeport étranger se vend aussi cher qu'une caméra sur le marché noir...

LA DOT...
UN SUJET BRÛLANT

Vous l'avez peut-être lu dans le journal "Le Monde", mil cinq cent soixante-douze femmes sont mortes brûlées pour une histoire de dot l'an passé.

La situation de la femme en Inde est presque impossible à concevoir, avec nos points de références nord-américains. À première vue, la femme indienne nous paraît être traitée comme un objet, et souvent pire qu'un objet. A-t-on raison ou pas de penser ainsi, sans regarder l'ensemble des traditions d'un pays? Je ne sais pas, mais il faut dire qu'on est très mal impressionné dès le départ par cette question de dot, qui évoque le truc de "marchandises".

Là-bas, en certains milieux, il n'y a pas de mariage sans dot. On ne veut pas de femme, sans qu'il y ait une forte somme d'argent en échange car une femme semble être d'abord considérée comme un poids financier, une dette! Bête comme ça!

Je suis allé voir plusieurs organisations de femmes actives, et elles m'ont cité des dizaines de cas de femmes qui ont été brûlées "accidentellement" par leur mari, parce que la dot offerte par la famille de la femme n'était pas assez élevée à leur goût. L'accident survient souvent près d'un poêle au gaz lorsque la femme fait la cuisine, et BOOM! Des maris se fiancent plusieurs fois pour récolter ainsi plusieurs dots. Il ne s'agit certes pas d'une pratique générale, mais de cas isolés - bien que trop nombreux - où des profiteurs du régime de la dot exploitent à coeur joie une coutume vieillotte et très discutable.

En une semaine, j'ai eu la chance de rencontrer une foule de gens, d'assister à un mariage très coloré, de fêter mes vingt et un ans ainsi que de visionner le film "Gandhi", alors qu'il venait tout juste de sortir en Inde. Deux heures après la fin du film, c'était la fin de la course. Le cent cinquante cinquième jour, je rentrais à Paris. Il me restait cependant encore une semaine d'aventures et de tension avant de connaître le dénouement de la Course en France.

COMMENTAIRE DU FILM DIX-HUIT D'UN AMOUR BRÛLANT

En Inde, les mariages sont l'occasion de véritables réjouissances hystériques.

Les familles se rencontrent pour la première fois et avec de la chance les bienheureux se sont vus depuis au moins cinq jours. Voici donc le couronnement de dix mois de platoniques correspondances attentivement supervisées par parents et amis. Et si le mariage a lieu, c'est parce que les parents de la fille ont accepté de dépenser, dans le cas présent, cinquante mille dollars en réceptions et en cadeaux. Quatre-vingt-quinze pour cent des mariages indiens se font dans des conditions semblables. Ce sont les mariages arrangés, c'est le système de la dot.

La pratique de la lot est maintenant strictement interdite par une loi de 1981. En effet, toute personne demandant de l'argent à la famille de la fille sera passible de deux ans de prison. Cependant, cette législation s'avère inefficace, car cette pratique est ancrée dans les moeurs et les traditions millénaires du pays... On ne prend pas femme sans dot.

Alors pour contourner la loi, on a changé la terminologie. On ne parle désormais plus de dot, mais de cadeaux... De quelle autorité peut-on empêcher l'offrande de présents aux époux?

Les demandes de cadeaux se font verbalement, ce qui fait qu'il n'y a aucune preuve devant la loi qu'une dot a été exigée. S'il n'y a pas de cadeaux, on ne veut pas de la fille. Alors, afin d'éviter que la honte s'abatte sur la famille, les parents font tout pour satisfaire les demandes. Mais la famille du mari continue de demander des cadeaux même après les noces. Si toutes ces demandes ne sont pas satisfaites, les chances sont grandes pour que cette nouvelle mariée entre dans les alarmantes statistiques du syndrome des femmes brûlées en Inde.

Le feu est présent lors de la cérémonie du mariage. Il scelle l'union entre les époux pour la vie. Le feu est aussi présent au terme de la vie, lors de la crémation de tout Indien qui décède. Il scelle, cette fois, l'union entre l'âme et le ciel pour l'éternité.

Mais depuis quelques années les cuisines indiennes deviennent le théâtre d'une incinération prématurée. Comme par hasard, les vêtements des femmes dont on ne peut plus soutirer de cadeaux à leurs familles sont imbibés de kérozène et lorsqu'elles se mettent à faire leurs gestes quotidiens, Pouf! un accident malheureux...

Les journaux en font leurs manchettes.
"Une autre victime de la dot"
"Fille sans dot brûlée à mort"
"Un accident qui ne laisse pas de trace"
"Fiancée brûlée pour un vélo"
Pourquoi les femmes doivent-elles brûler?

Un accident qu'on cache car sans preuve écrite ni témoin ça ne vaut même pas la peine de se présenter en Cour. L'incident sombre dans le dossier des querelles de famille à régler entre elles-mêmes.

Mais c'est un drame quotidien...

Il y a quand même un espoir depuis cinq ans, car à New Delhi on en parle. Par un seul coup de téléphone de détresse, Saheli, un regroupement de femmes actives vont en moins de six heures organiser une manifestation afin de forcer les autorités et les voisins à réagir lorsqu'un feu de cuisine se produit. Une autopsie peut déceler si le vêtement a été criminellement imbibé de substances inflammables. Le regroupement dénonce aussi les hommes qui se marient plusieurs fois et finissent par brûler leurs femmes pour obtenir plusieurs dots.

UN AVOCAT NOUS PRÉCISE

"Le système de la dot a atteint de telles proportions depuis les vingt ou trente dernières années, que c'en est devenu un problème économique. Avec la montée du coup de la vie, la famille cherche à avoir de plus en plus de sécurité financière en organisant un mariage. À mon avis, la dot est la pire plaie que porte la culture indienne".

Pour changer la condition de la femme en Inde, la démarche serait la même que pour nous dans nos pays de l'Ouest. Pour changer une mentalité, il faut parfois déraciner toute une culture; cependant, quand on se trouve dans le berceau de l'humanité, ça peut être très long.

CHAPITRE VINGT ET UN

La fin d'une course mémorable

RETOUR À PARIS

Le 14 février 1983

Un retour de course, ça devrait être une grande fête! Il devrait y avoir beaucoup de monde pour combler tous les moments de solitude accumulés pendant ces cinq mois de voyage.

En effet, chacun des candidats européens est revenu un peu dans cette atmosphère de fête, entouré de parents et d'amis. Mais moi... je n'attendais personne... un peu comme à Lagos, à Mexico, ou à Tokyo. Cependant, Noëlle Bourgeon, la secrétaire de la course, avec qui l'on parlait à tous les dix jours, m'attendait de l'autre côté des douanes à Roissy. Toute une surprise, à cinq heures du matin! Une seule personne pour mon retour de course... le lendemain de mon anniversaire (vingt et un ans).

Sur le plateau d'Antenne 2, Mario, Reine Malo, Georges Amar et Richard Guay devant le tableau de pointage final

Au cours de la semaine, Noëlle s'est vu gronder par Brunard, le premier de la course, qui a pris ce geste d'accueil comme du favoritisme à mon égard.

Ceci laissait présager une relation assez difficile entre Alain Brunard et moi, en ces semaines décisives. J'ai rencontré tous les candidats au fur et à mesure qu'ils rentraient, et j'ai même eu la chance d'être hébergé chez la française Anne-Christine Leroux... dans une famille mono-parentale vivant à Boulogne, en banlieue de Paris. C'était beaucoup plus intéressant qu'à l'hôtel, car cet accueil m'a permis de participer à une réception mondaine dans le Paris seizième alors que j'étais accompagné par le frère et la soeur d'Anne-Christine.

Peu de temps après mon arrivée, j'ai pu assister à l'enregistrement de l'émission où l'on présentait mon film sur la "Montagne Sacrée". Je me trouvais en présence des six juges lorsqu'ils m'ont accordé cent six points, et tout le monde a applaudi dans le studio... mais Brunard y allait plutôt au ralenti, en disant: "C'est fou, cette émission". Avec quatre points de différence entre nous deux, la guerre était ouverte.

Nous avions encore deux semaines pour continuer à courir, autour de Paris, cette fois. Il y avait d'abord la rédaction du livre de la course des huit candidats, publié dès septembre 1983 par Hachette; puis des entrevues, des questions, des enregistrements. C'était le temps de presser le citron.

Pendant ces deux semaines, je pouvais aussi visionner tous les films de l'année... Je n'avais encore jamais vu les miens, et encore moins ceux des autres... Des heures de visionnement de films! Les dirigeants de la course ont même pris le soin d'épurer les copies des commentaires des juges... un moyen efficace de baisser le taux de criminalité en France, en nous empêchant de faire nos règlements de comptes à l'antenne... En effet, si l'on avait écouté sans arrêt les vingt jugements sur nos films, il y aurait eu de quoi faire une esclandre...

Mais la majeure partie de mon temps était employée à monter mon dernier film en Inde, de même que le film-bilan de toute ma course. Pour la première fois, j'oeuvrais avec Benoît, le monteur qui a travaillé pour moi pendant toute cette course, caché dans l'ombre de sa salle de montage. Benoît portait sur ses épaules une grande partie de la responsabilité du dénouement de la course de cette année, puisqu'il montait aussi les films d'Alain Brunard, son compatriote de Belgique.

Toute l'équipe de LA COURSE AUTOUR DU MONDE, 1982-83.

Cependant, il préférait travailler avec moi, car je lui faisais bien confiance. Il y eut des journées et des nuits de montage.

Entretemps, Reine Malo et Richard Gay étaient venus nous rejoindre à Paris. Nous sortons, nous discutons, ils me disent que de l'autre côté de l'Atlantique, l'atmosphère est toute chargée d'électricité le samedi à cinq heures, partout au Québec et surtout à Trois-Rivières. Tous attendaient le dénouement crucial, en me faisant miroiter la première place... Richard était plutôt nerveux. Certains candidats ne lui ont jamais serré la main tellement ils le trouvaient sévère. Reine s'est vue offrir d'être animatrice sur le plateau européen... une primeur dans sa carrière, mais en même temps une torture tant physique que psychologique.

Les administrateurs et les juges, eux, se réunissaient tous les deux jours afin de décider s'il y aurait une autre course autour du monde l'an prochain, puisque l'émission était déjà vieille de sept ans. En Europe, on préfère couper une émission avant qu'elle ne tombe d'elle-même... On est bien loin de l'emballement connu au Québec. Comptons-nous chanceux d'en avoir pour un an de plus, avec la course!

Puis vint le jour J, le jour de la décision finale sur les grands plateaux d'Antenne 2... On a enregistré les deux émissions en ligne une après l'autre, en restant tous sagement assis sur nos petits bancs blancs. De la viande à filmer... j'avais l'impression d'être sur un feu ardent!

Lorsqu'on m'a déclaré deuxième, j'aurais pu faire la gueule de bois comme certains, mais ça ne valait pas la peine. En cette dernière émission, personne n'avait rien gagné ni perdu.

Et la suite de mon histoire, vous la connaissez peut-être si vous êtes venus à l'aéroport de Trois-Rivières, le treize mars... Ce fut la surprise de ma vie: l'arrivée en VIP, la conférence de presse, les quatre avions-escortes et toute la foule...

Le retour de cette course, ce fut en fait le début d'une autre course, autour du Québec cette fois. Je remercie Le Nouvelliste de m'avoir accordé quelques colonnes hebdomadaires pendant vingt-deux semaines, qui m'ont permis de revivre ma course. Mille mercis également à tous ceux qui m'ont suivi sur le petit écran à cinq heures le samedi soir. Cela m'a fait plaisir de me sentir accompagné et appuyé par tant de monde.

Même si mon arrivée à Paris a été peu remarquée, je crois qu'en réunissant tous les gens qui sont allés accueillir chacun des sept autres candidats de cette année, cela ne battra jamais l'accueil incomparable des gens du Québec, en particulier de Trois-Rivière et de la Mauricie.

Il me restait maintenant à mettre de l'ordre dans mes souvenirs pour écrire ce volume.

la presse

LE PLUS GRAND QUOTIDIEN FRANÇAIS D'AMÉRIQUE

MONTRÉAL, LUNDI 14 MARS 1983, 99e ANNÉE, no 102, 50 PAGES, 4 CAHIERS

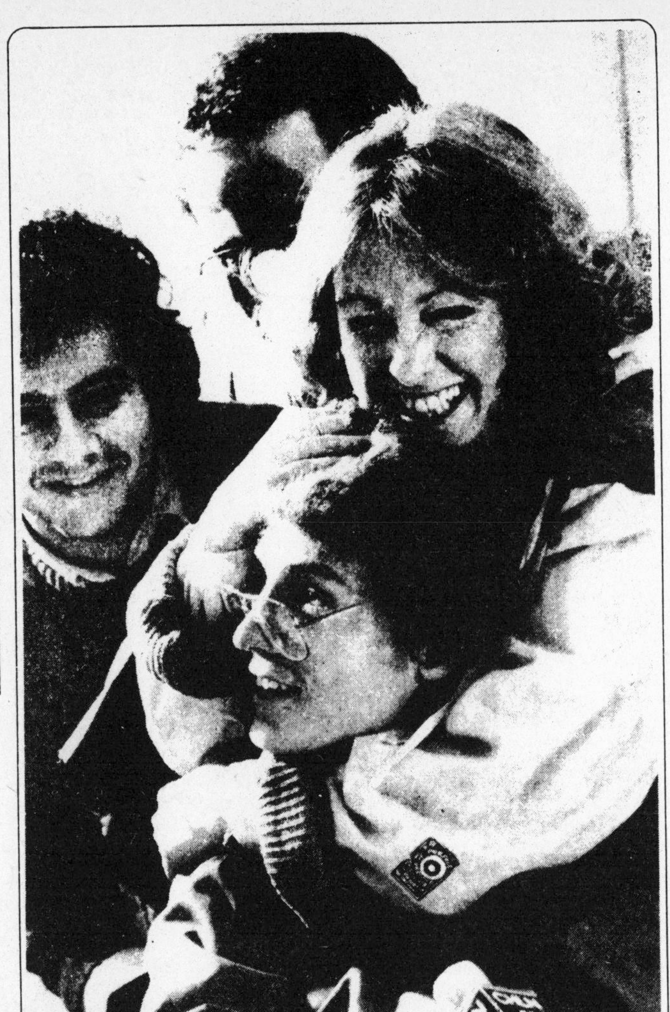

Mario Bonenfant accueilli en héros

Accueil triomphal, hier, pour les deux participants québécois à *La course autour du monde.* Toute la presse s'était donné rendez-vous pour le retour au pays de Mario Bonenfant et Georges Amar, tandis que Trois-Rivières était en liesse : des centaines de personnes à l'aéroport pour féliciter Bonenfant et sa deuxième position, lequel est arrivé, comme il se doit, escorté par quatre avions et accompagné d'une suite de 16 personnes ! Une réception qui n'a pas laissé Georges Amar (à gauche) et Mario Bonenfant (au centre) indifférents, entourés ici par l'animatrice de l'émission, Reine Malo, et par le juge permanent Richard Guay. Nos informations en page A 3.

photo Armand Trottier, LA PRESSE

la presse
LE PLUS GRAND QUOTIDIEN FRANÇAIS D'AMERIQUE

MONTRÉAL, LUNDI 7 MARS 1983, 99e ANNÉE, no 55, 50 PAGES, 4 CAHIERS LA MÉTÉC

LA PRESSE, MONTRÉAL, LUNDI 7 MARS 1983

ARTS ET SI

Mario Bonenfant, deuxième... mais quel talent

Louise Cousineau

Bien sûr, tout le pays rêvait depuis quelques semaines à la victoire possible de Mario Bonenfant, le concurrent le plus excitant à avoir représenté le Canada depuis que *La course autour du monde* existe. Il est arrivé deuxième samedi, seulement cinq points derrière le champion Alain Brunard. Mais un beau deuxième, qui a électrisé les téléspectateurs.

Jamais un Canadien ne s'est aussi bien classé à cette série où les différences culturelles entre l'Europe et l'Amérique sont quasi irréconciliables, et où les candidats de chez nous sont exclusivement jugés par des Européens.

En début de saison, la performance de Bonenfant était bonne sans être remarquable. Mais peu à peu il a épaté tout le monde avec des films remarquablement bien faits, sur des sujets parfois tout simples, mais dont le traitement nous étonnait chaque fois. La semaine dernière, son film sur la Chine a emballé les fans de l'émission qui ont affirmé que c'était son meilleur. Samedi, il a donné un excellent document sur la situation des femmes en Inde, où les séquences d'un mariage rutilant de couleurs et de bijoux alternaient avec le terrible sort des femmes que l'on incendient

Mario Bonenfant

parce que leur dot n'est pas payée. Un film tout à fait dans l'actualité puisque, demain, c'est la journée internationale des femmes.

Le film d'Alain Brunard sur une école biconfessionnelle de Belfast était intéressant aussi, quoi qu'il n'ait pas pu filmer à l'intérieur devant se contenter de témoignages d'élèves et de parents. Un film bien monté, avec des séquences de soldats anglais patrouillant dans les rues de la capitale de l'Irlande du Nord.

J'ai préféré le film de Bonenfant qui m'a semblé mieux recherché et comprendre plus d'éléments dans la fabrication du tout. Le film de Brunard a obtenu un point de plus. Comme il avait quatre points d'avance, l'écart a finalement été de cinq.

Ce n'est pas la première place pour Bonenfant, un trifluvien de vingt ans qui était le benjamin de la course cette saison, mais qu'importe : il s'est révélé non seulement un coureur plein d'enthousiasme que le stress a fouetté au lieu de le démoraliser, mais aussi un jeune cinéaste fort intéressant qui aura encore sans doute bien des choses à nous montrer. On a senti chez lui une curiosité et un plaisir de nous faire partager ses découvertes en nous les montrant avec talent et piquant.

La course autour du monde aura cette saison atteint des auditoires records. On a franchi le cap des 600 000 téléspectateurs, ce qui ne s'était encore jamais produit.

LE DEVOIR CAHIER 2 **CULTURE ET SOCIÉTÉ**
Montréal, samedi 12 mars 1983

La Course autour du monde

Quand la télévision part à l'aventure

par
Nathalie Petrowski

TOUS les samedis entre 5 h et 6 h, Suzanne Meunier, 35 ans, secrétaire médicale et mère de deux jeunes enfants, n'est pas parlable. Tous les samedis, entre 5 h et 6 h, le souper refroidit, les enfants braillent, le mari s'impatiente mais Suzanne n'entend rien. Elle est ailleurs.

Les yeux rivés au petit écran, elle écoute *La Course autour du monde*, une émission née de la collaboration de quatre télévisions francophones. Cela fait déjà cinq ans qu'elle suit les périples à travers le monde de jeunes âgés entre 18 et 25 ans. Suzanne n'est pas la seule à se passionner pour leur aventure.

Plusieurs millions de fanatiques au Canada, en France, en Suisse et en Belgique regardent fidèlement à chaque semaine les huit jeunes candidats de l'année parcourir la planète en tournant une vingtaine de courts reportages avec leur caméra super-8. Ce suspense des télécommunications est la première vraie coproduction télévisuelle du genre.

Au Québec, les cotes d'écoute de l'émission qui, en 1978, dépassaient à peine les 115,000, ont vite grimpé. Cette année elles atteignaient 700,000 alors que le Québécois Mario Bonenfant, étudiant en communications à l'université Concordia, nous faisait vivre notre premier télé-drame international. La semaine dernière, il terminait la course en deuxième position, avec seulement cinq points de retard sur le gagnant, un Belge.

Durant le sprint final, le suspense atteignit son paroxysme. Suzanne faillit en faire une crise de nerfs. Quelques semaines auparavant, elle avait fait circuler une pétition dans sa coop d'habitation pour se plaindre des juges européens qui « martyrisaient » le pauvre Mario. Tout le monde signa, y compris un couple de 70 ans qui en avait assez de la tyrannie du jugement européen. Aujourd'hui Suzanne est aux oiseaux. « Dans ma tête, dit-elle,c'est comme si Mario avait gagné. »

Au septième étage de Radio-Canada, à la section Jeunesse, Claude Morin est au septième ciel. Surnommé le père de la course, il attribue le succès phénoménal de l'émission au classement très serré qui cette année a bousculé un peu les habitudes de tout le monde.

Mais il n'y a pas que le classement des candidats et la performance de Mario. Il y a aussi que pour la première fois, le public a pu voir comment ça se passait pour de vrai sur les plateaux. Avant, les jurés étaient isolés chacun dans leur pays. Les films des candidats n'étaient montrés que dans leur pays d'origine. Cette année, les jurés français, suisse et belge étaient réunis sur un même plateau. Les films étaient présentés simultanément aux Européens et aux « amis canadiens » puis commentés par chaque jury.

Pour la première fois cette année, le décalage culturel entre l'Europe et l'Amérique du Nord, la différence de mentalité et de perception étaient flagrants pour ne pas dire gênants....

« On est arrivés à des écarts tantôt drôles, tantôt dramatiques, raconte Richard Gay, le juge permanent du Québec. J'ai pris le parti d'assumer ma différence. Le problème c'est de respecter la différence de l'autre, ce qui est plus facile à dire qu'à faire. » Il raconte comment les juges européens se laissaient impressionner par des reportages sur la drogue aux États-Unis ou encore par des efforts de recherches un peu artificiels qui, lui, le laissaient plutôt indifférent.

Claude Morin, pour sa part, parle de la dynamique du jeu international. « Dès qu'on accepte de jouer dans ce club-là, dit-il, on doit respecter les règles du jeu et trouver une sorte de terrain d'entente. Nos environnements ne sont pas les mêmes. On doit apprendre à composer avec cette réalité-là. D'ailleurs il n'y a pas que chez nous que ça hurle, de l'autre côté c'est exactement la même chose. Si on pense que nos jurés détiennent la vérité, c'est qu'on est tout aussi chauvins qu'eux! »

Va pour les juges. Mais que dire des candidats? Les vainqueurs des quatre dernières années étaient tous de jeunes Suisses. Cette année la tradition a été brisée par le Bruxellois Alain Brunnard, dont la qualité principale était la constance. Installé en première position pendant 16 semaines, il a failli se faire dépasser par un Québécois presque aussi dangereux que Gilles Villeneuve!

Les candidats québécois n'ont pourtant encore jamais gagné la course

Suite à la page 32

Georges Amar (à gauche) et Mario Bonenfant, les deux candidats du Canada dans « La Course autour du monde ».

La course folle autour du monde

Des centaines de milliers de Québécois suivent chaque semaine avec intérêt — et parfois avec passion — *La Course autour du monde*, ce grand rallye des jeunes réalisateurs de la francophonie. Cette année pour la première fois, un Québécois, Mario Bonenfant (ci-dessus), a frôlé la victoire de quelques points. Nathalie Petrowski explique les rouages de cette émission très particulière, ou les participants vivent d'étranges aventures. *La Course autour du monde* est présentée ce soir pour la dernière fois de la saison.

Page 17

La Course

Suite de la page 17

même si à deux reprises, ils ont frôlé la victoire de très près. Question de tare atavique,de confiance nationale ou problème d'éducation et de culture? Claude Morin n'ose pas trop se lancer dans des théories sociologiques. Il avoue pourtant que les Suisses semblent mieux scolarisés, mieux disciplinés aussi. Il parle d'une vision internationale plus poussée et d'une grande tradition de journalisme télévisuel. Un dernier point: la volonté de vaincre semble plus grande chez eux, dit-il.

Richard Gay raconte qu'au départ Mario Bonenfant était très nerveux. Il essayait de plaire aux juges au lieu de prendre plaisir à la course. Son pointage était bas. Il n'avait pas grand-chose à perdre. C'est sans doute là que le déclic s'est produit. Quand on n'a rien à perdre, on a finalement tout à gagner. Au bas de l'échelle, Mario a recommencé à être lui-même. Au bas de l'échelle il a repris goût à faire des films et à découvrir des cultures.

« Ses films sont devenus attachants, raconte Richard Gay, parce qu'on le sentait vibrer. Il y avait aussi un côté *Rocky* à son ascension. Mario, finalement, c'est le gars qui part de rien et qui se met à dépasser tout le monde, un peu comme un coureur de fond ». L'année dernière les candidats québécois ont eu un cheminement contraire. Partis presque gagnants, ils se sont essoufflés en cours de route et n'ont pas réussi à maintenir leur avance.

La course finalement est autant physique que psychologique. Ceux qui prennent mal la critique se laissent vite abattre par les commentaires désobligeants des juges. Le doute dévastateur s'empare complètement d'eux. Les décalages horaires, les décalages alimentaires, les problèmes de communication, de transports, d'eau potable, n'aident pas les choses. La merveilleuse aventure dégénère vite en cauchemar surtout quand le film dont on est particulièrement fier se retrouve au fond d'une poubelle dans les bureaux d'Air Perou. L'incident s'est produit et va probablement se reproduire. La marge d'impondérables est plutôt large à la *Course autour du monde*.

Les coureurs ont de l'équipement, des billets d'avion, de l'argent ($300 US par semaine), quelques contacts et pratiquement pas de temps. À peine une semaine pour arriver, repérer un lieu, fouiller un sujet, filmer les images, enregistrer la bande son, remplir la feuille de montage et acheminer l'oeuvre inédite et incomplète au chef d'escale d'Air France le plus proche. Tous les films sont montés à Paris. Les coureurs sont d'ailleurs en communication constante avec les monteurs. Ils sont en communication quand ils réussissent à avoir une ligne. Ce qui n'est jamais assuré.

Certains diront qu'il faut être fou pour se lancer dans une telle aventure. Fou ou alors naïf et téméraire. Claude Morin reçoit chaque année entre 400 et 500 demandes de formulaires. La moitié sinon les trois quarts des candidats se découragent quand ils voient l'épaisseur du dossier à remplir. « Le dossier, dit-il, c'est rien en comparaison avec ce qui les attend de l'autre côté. S'ils sont incapables de remplir le dossier, c'est qu'ils font mieux de rester chez eux. »

Les voyages forment la jeunesse, disait Marco Polo. Suzanne Meunier a beaucoup voyagé pendant sa jeunesse. Aujourd'hui elle regarde la télévision et voyage à travers les autres, une fois par semaine. Ce n'est pas qu'elle a perdu le goût de voyager. C'est plutôt que pour une fois la télévision, devenue aventurière, mérite qu'on s'y arrête.

ÉPILOGUE

La course autour du monde:
un rallye en images

Un billet d'avion de neuf mille dollars, une bonne caméra Super 8 et un "sacré coup de pied"..., voilà tout ce que ça prend pour faire **La course autour du monde** de Radio-Canada.

Montréal, Paris, Lisbonne, Casablanca, Alger, Niamey, Lagos, Rio, La Paz, Quito, Mexico, Los Angeles, Sydney, Adélaïde, Bali, Java, Singapour, Bornéo, Tokyo, Pékin, New Delhi, Paris, ça fait tout un rallye.

Mais il ne suffit pas de parcourir les cinq continents pour gagner cette course. Il faut produire un reportage par semaine, peu importe où l'on se trouve. Un document qui sera vu presqu'instantanément par quinze millions de télespectateurs et coté par un panel international composé de juges français, suisses, belges et canadiens. Toute la francophonie y va de concert. **La course autour du monde** du samedi, dix-sept heures, c'est un rallye en images.

Chaque année, deux candidats seulement sont sélectionnés pour représenter le Canada, deux sur cinq cents lors de mon "repêchage". Huit cents déjà se sont manifestés à la Société d'État pour la prochaine série qui commencera en septembre 83.

Alors on vous épluche de tous bords, de tous côtés. On examine votre diction, vos talents de scénaristes, de caméramen et de réalisateur. On scrute votre dossier de présentation que vous mettez plus d'une semaine à constituer. Peut-être pourrait-on simplifier les choses en ne vous posant qu'une seule question, la vraie, celle qui est en tête du dossier: "Pourquoi voulez-vous entreprendre la course?".

Le voyage? Evidemment vous ne pouvez pas passer à côté. Mais, moi, je désirais participer à la course pour une autre raison: pour le CINÉMA. Et pour la première fois, en cinq ans, un Canadien s'est classé dans les premiers rangs, deuxième, avec mille trois cent quatre-vingt six points, à cinq points du leader belge.

Il faut dire qu'il y a toujours eu une ciné-caméra dans la maison chez moi. C'était une 8mm. Je viens tout juste de fêter les cinq ans de ma première Super 8. Pour un mordu du cinéma, la possibilité de faire des films subventionnés, d'être vu peu importe le reportage réalisé et sur quatre chaînes de télévision, tout ça à vingt ans, c'était presqu'un rêve. Un rêve qui devint pour moi une réalité le deux juillet 1982.

Six mois de course, trente-six aéroports, vingt-deux pays et autant de décalages horaires, alimentaires et culturels, ça prend moins que ça pour jeter quelqu'un à terre... mais, dans mon cas, cela a eu l'effet contraire.

Tous ces changements m'ont fouetté le visage. Je ne pouvais pas rester indifférent devant l'étalement de toutes ces cultures. Il faut se rappeler que je ne cheminais pas toujours dans les sentiers des grandes capitales. Il y a plus de misère qu'autre chose dans ce monde, mais ce qui est fascinant, c'est que personne ne la vit de la même façon, cette fameuse misère. Moi-même, je devais avoir l'air assez misérable parfois, à me démener comme un diable. Mais au cours d'une expérience comme celle-là, vous rencontrez tellement de gens, vous croisez tellement de chemins, qu'il vient un temps où la caméra se met à tourner toute seule. Il y a quelque chose de magique dans l'air. Pour produire à ce rythme, il fallait être inspiré et, pour moi, cela est venu petit à petit, après un mois de tâtonnements.

Je me retrouvais parfois "pogné" avec mon seul et unique sac d'équipement pris au milieu des pneus et des cages d'animaux, entouré par une dizaine de Boliviens qui n'avaient pour seul loisir que de me regarder rédiger mon rapport de caméra. Ou encore, je me rappelle, quelques semaines plus tôt, alors que j'étais le seul étranger dans

le nouvelliste

63e année, No 238 Trois-Rivières, samedi 6 août 1983 lun. au ven. 45¢, sam. 75¢

C'était il y a déjà plusieurs mois. La course venait de s'achever pour Mario Bonenfant avec la remise des prix sur le plateau français de télévision. Depuis pourtant, le jeune cinéaste globe-trotteur trifluvien court toujours autant... mais d'une façon différente.

La course continue pour Mario Bonenfant, mais une course bien différente

par François HOUDE

Le samedi 22 janvier dernier, Le Nouvelliste titrait: **"Mario Bonenfant court toujours"**, allusion au périple de Mario qui se trouvait alors en Asie du Sud-Est, à l'autre bout du monde. Or, des milliers de kilomètres et plus d'une centaine de jours plus loin, c'est encore vrai, presque rien n'a changé que le terrain sur lequel le match se joue.

Il n'y a plus six concurrents, nous sommes des centaines de milliers à prendre part à une autre forme de course: celle qui offre un emploi comme récompense aux vainqueurs. Nous tentons, nous aussi, de convaincre quelques juges de notre valeur non pas pour la gloire et la satisfaction que cela apporte mais pour se forger une vie décente à la mesure de ce que nous attendons d'elle.

Dans cette nouvelle compétition, Mario Bonenfant n'a pas perdu de temps et a pris une bonne avance, quatre mois à peine après son retour parmi nous. **"Je joue le jeu en espérant que cela ne se retourne pas contre moi**, dit-il avec l'espèce de candeur qui avait réussi à charmer les jurys de ses films, **Je déplore de ne pas avoir eu le temps de m'arrêter pour faire le bilan de ma course mais j'aime ce rythme de vie trépidant."**

Le jeu dont il parle, c'est celui des multiples rencontres, des dizaines de conférences un peu partout, des entrevues, des dîners officiels et surtout des projets. Réciter la nomenclature de ce qu'il a fait depuis son retour relèverait de l'inconscience totale: il n'a pas arrêté une seconde. Vous réciter les projets concrets qu'il caresse serait encore plus long.

Pourtant, quelques faits ne manquent pas d'attirer l'attention: la conférence qu'il prononcera bientôt à Paris dans le cadre du salon de la photographie constituera une première puisqu'il y sera le premier concurrent canadien à parler de sa course. Le contrat qu'il signera prochainement avec Radio-Canada en tant que documentaliste constitue aussi une agréable surprise.

Sans compter les quelques films sur le lac Saint-Pierre qu'il a tourné et qui serviront d'intermèdes d'une minute entre les programmes de Radio-Québec ainsi que les deux films sur des artistes populaires montréalais que lui a demandé le gouvernement fédéral et qu'il vient tout juste de réaliser.

Rajoutez à cela un bouquin qu'il écrit sur sa course, un film de fiction sur les monstres des lacs du Québec en collaboration avec l'auteur d'un livre sur le sujet et une série de cent conférences à travers le Québec, et vous aurez un aperçu sommaire de ce qui attend notre globe-trotter dans les mois à venir.

A plus long terme, Radio-Québec projette pour lui une course autour de la province grâce à laquelle il pourrait reprendre ses activités d'exploration, mais à une échelle réduite. **"Ce serait merveilleux de découvrir le Québec**, lance-t-il avec cette lueur au fond des yeux, caractérisque de l'explorateur avide de nouveautés, **il y a tant de merveilles tout près qu'on ne connaît pas."**

Malgré tout, Mario ne semble pas avoir perdu cette simplicité qui semblait son attribut pendant la course. C'est en lui que quelque chose a changé et que les aventures ont laissé leurs marques. Entre autres, cette confiance dont il déborde: **"La course a été un coup de baguette magique qui a changé toute ma vie. Je sais maintenant ce dont je suis capable et j'aime le cinéma au point d'y travailler sans compter mon temps. Si je continue de bien faire, je ne devrais pas avoir trop de problèmes."**

un autobus bondé de Berbères, au milieu de l'Atlas marocain et qu'un homme au tempérament plutôt explosif voulait mettre la main sur mes caméras pour les projeter hors du véhicule parce que j'avais pris sa femme en photo...

Puis il y a le tournage, les gens à apprivoiser, les conversations par gestes, la mise en scène et les "histoires" que vous devez raconter pour convaincre les gens de se "prostituer" parfois devant la caméra.

Quand il faut payer un dirham pour tirer le gros plan d'un enfant ou encore vingt dollars pour persuader un chercheur de nids d'hirondelles d'escalader les flancs d'une grotte afin de dérober les précieux nids, alors que ce n'est même pas la saison légale pour la cueillette et qu'il risque à tout moment de se faire arrêter, ça ressemble un peu à de la prostitution, mais c'est un jeu qu'il faut vite apprendre à jouer.

Et toutes ces expériences qui se greffent au tournage du film hebdomadaire vont se blottir dans le subconscient pour ressortir quand vient le temps d'écrire et d'enregistrer sur cassette le commentaire du film à la fin de la semaine.

Puis c'est le déchirement, la séparation, l'expédition du film à Paris, là où il sera développé et monté. Jamais je ne verrai ces images auxquelles je me suis attaché au cours de la semaine. Je ne visionnerai mes films qu'au retour, quand la course sera vraiment terminée.

Depuis mon retour, au cours des nombreuses conférences et causeries que j'ai données, car je suis en train de devenir un véritable lion de société, il y a une question qui revenait sans cesse et à laquelle je n'ai pas encore trouvé de réponse. Elle est pourtant simple. On voulait savoir quel pays j'avais préféré.

À voir plusieurs continents et à n'avoir le temps d'approfondir qu'une seule chose pendant mon séjour dans un pays, j'ai fini par avoir la mémoire courte. En une semaine, je n'avais le temps que de voir les bons côtés d'un pays et chaque endroit devenait plus beau et excitant que le précédent.

En réfléchissant à la question, c'est peut-être la Chine qui me revient le plus rapidement à l'esprit, mon avant-dernier pays, là où je suis resté le plus longtemps.

La Chine, je l'attendais depuis le tout début, car j'avais réussi à me dénicher un visa individuel à Ottawa. J'en ai fait la demande le lendemain du jour où la Chine avait gagné un prix au Festival des films du monde de Montréal, l'an dernier. Avec un peu de diplomatie, c'est devenu le visa que j'ai obtenu le plus facilement, aussi paradoxal que cela puisse paraître.

Mais c'est en Chine que j'ai le plus apprécié le fait de tourner en Super 8. Si j'étais arrivé avec mon caméramen, ma scripte, mon preneur de son et trente mille dollars d'équipement, ça aurait été l'enfer! J'aurais peut-être dû coucher à l'aéroport. Ce n'est un secret pour personne qu'il faut des semaines et même des mois dans ce pays pour faire quelque chose, quand vous passez par les voies officielles.

Rien de tout ça. Je suis passé incognito. J'étais le parfait touriste, innocent... C'était le coup du cheval de Troie.

Une fois entré en Chine, c'est là que le ravage a commencé. J'ai pu tourner deux reportages avec une liberté déconcertante. Je me suis faufilé dans des trains, avec des Chinois qui acceptaient spontanément de devenir mes disciples d'une semaine.

J'ai abouti à Harbin, la capitale du Nord, près de la Sibérie. C'est là qu'on fait des sculptures dans une glace aussi transparente que du cristal... à -40° Celsius. Don Murray, le correspondant de Radio-Canada, que j'ai rencontré à deux reprises là-bas, m'a aussi conseillé d'aller au mont Taïshan, une des cinq montagnes sacrées de Chine. Mes "papiers" n'étaient même pas en règle et ce dernier site n'était pas encore officiellement ouvert au tourisme. Mais cette visite clandestine a donné mon plus beau reportage de la course. De toute façon, une fois rendu en haut de la montagne sacrée, après avoir fait l'ascension des six mille marches menant vers la Porte du Ciel, on ne pouvait tout de même pas me renvoyer à Pékin.

Tous ces paysages, je les ai vus à travers le viseur de ma caméra Super 8, et le meilleur compliment que j'ai reçu, à mon retour, ce fut quand un réalisateur de Radio-Canada m'a demandé, pendant qu'il diffusait un de mes films: "Mais quelle pellicule 16mm as-tu employée pour tourner ça?"

Le tour du monde, c'était déjà tout un défi à relever, mais tirer le maximum du format Super 8, cela rendait l'épreuve encore plus exceptionnelle.

Maintenant que je suis revenu au pays et que ces milliers de pieds de pellicule gisent dans ce que j'appelle mon coffre aux trésors, je compte bien faire un gonflage et un montage 16mm regroupant mes meilleurs reportages, y introduire des cartes et quelques-unes des centaines de diapositives que j'ai prises.

Ce sera un montage qui me fera peut-être voyager à nouveau, en attendant de repartir pour un autre projet de film, un soixante minutes réalisé dans les cinq continents et avec plus d'une quinzaine de peuples, dans vingt-deux pays... J'en ai déjà trouvé le titre: "Un rallye en images".

En revenant de la Course, je m'étais dit qu'il fallait absolument que j'écrive tout ce que j'avais vécu. C'est fait.

Février 1983 - Juillet 1983

le journal de montreal
90¢ 45¢ Édition métropolitaine 35¢
VOL. XIX NO 276 88 PAGES MONTRÉAL, LUNDI 21 MARS 1983

22 pays visités dans le cadre de «La Course autour du monde»

«C'est comme 22 livres dont je n'aurais lu que la préface»!

Connaissez-vous VRAIMENT...

MARIO BONENFANT?

Photo LE JOURNAL

A Ixtapa, au Mexique avec Oliverio, un expert en plongée, âgé de 65 ans.

«La Course, c'est six mois de voyage seul. C'EST TRÈS DUR»

Être «pogné» à Accra, c'est pas drôle. Le Ghana n'est pas spécialement le pays le plus accueillant du monde. Et pas moyen d'avoir une place dans l'avion qui s'envole pour Lagos, la capitale du Nigéria, le pays voisin. Tout ce que Mario Bonenfant peut faire, c'est prendre son mal en patience et attendre. Tout cela ne serait pas grave s'il n'y avait cette foutue correspondance à prendre pour Rio. Attendre et espérer. Espérer. Espérer.

Jean-Marie Bertrand

Quarante kilos de bagages, une caméra et un billet d'avion. Voilà toute la richesse de Bonenfant qui commence à sérieusement s'énerver. Volontairement, Mario se dirige vers le comptoir de Nigeria Airways. Il tend son impressionnant titre de transport aux préposés aux billets. [illegible]

La samba commence

[illegible] les mains. Comprend, comprend pas, le billet existe et il est impressionnant.

Avec inquiétude, Mario Bonenfant voit son billet d'avion passer de main à main. Les employés de la compagnie aérienne parlent de lui, de son cas mais il est tenu à l'écart des discussions.

Il finit par avoir sa carte d'accès à bord. A Lagos, il saute dans l'avion de Rio. Et la Samba commence.

500 candidats

En fait, la samba a commencé voilà plusieurs mois. Quand Mario s'est porté candidat à la Course autour du monde, 500 candidats. 75 sélectionnés. Puis huit, quatre, deux, bingo. Les deux survivants de l'implacable sélection sont Mario Bonenfant et Georges Amar.

Dans l'avion pour Rio, Mario a enfin le temps de penser un peu à ce qui lui est arrivé ces dernières semaines. Depuis le départ, Mario est en fin de classement. Il va falloir se ressaisir. La Course autour du monde n'est pas un voyage d'agrément, c'est un concours et Mario veut être le premier.

— Et vous êtes arrivé deuxième.

— Oui, j'ai été dans les derniers durant tout le premier tiers de la course et dans les premiers durant le troisième tiers.

— Pourquoi vous êtes-vous porté candidat dans cette course?

— Pour plusieurs raisons. Au cegep, j'avais fait les sciences pures. Après, je ne savais pas où m'en aller. Je voulais m'ouvrir un maximum de portes. Après le cegep j'ai fait un an en cinéma à Concordia. Je ne m'y suis pas beaucoup plu. Pour faire du cinéma, il faut avoir quelque chose à dire, et quand on sort du cegep on n'a pas grand-chose dans le buffet. Il me fallait prendre de l'expérience. La Course autour du monde était une merveilleuse façon d'acquérir cette expérience.

Pour le cinéma

— Vous avez été choisi deux mois avant le départ de la course. Comment avez-vous préparé votre itinéraire? C'est grand le monde.

— J'étais parfaitement conscient que la course était un concours. [illegible]

[illegible] voyage, la plage est une perte de temps.

— Comment avez-vous choisi votre matériel?

— A Paris on m'a donné [illegible] pour acheter une caméra. J'ai acheté une Beaulieu. [illegible]

Vingt ans

[illegible] c'est pas facile de se lancer dans une pareille aventure.

Non, ce n'est pas évident. Il faut avoir une personnalité spéciale. Il ne faut pas avoir peur de l'inconnu. Il faut être simple et organisé. La Course autour du monde, c'est six mois de voyage seul. On est tout seul. C'est très dur. Toute la course est une grande expérience de communication et d'expériences interpersonnelles.

Après Rio, c'est Guanay, Potosi en Bolivie, Lima au Pérou, Vilcabamba, Guayaquil et Quito en Équateur, Mexico, Ixtapa, Los Angeles et c'est le deuxième grand saut. Le Pacifique. Adelaide en Australie, Bali, Surabaya et Djakarta en Indonésie, Singapour, Tokyo et enfin la Chine. Là, ça devient plus compliqué car voyager seul en Chine, caméra au poing, ça ne s'est jamais vu.

A Singapour, Mario tourne dans un restaurant

Photo LE JOURNAL

Devant la Cité interdite à Pékin.

Il voyageait avec un billet d'avion de $9,000 entre les mains

Campagne chinoise

— Comment avez-vous fait pour entrer en Chine?

— J'ai été à Ottawa et j'ai demandé un visa. La Chine n'accorde que très difficilement des visas pour des particuliers. Moi, je l'ai eu en trois heures.

Incroyable mais vrai. Mario Bonenfant se promène seul dans la campagne chinoise. Il parle avec les étudiants qui sont avides de contacts avec l'étranger. Il filme un concours de sculpture sur glace. Puis c'est son merveilleux film sur la montagne sacrée.

— Comment vous débrouilliez-vous en Chine?

— C'est dans ce pays que ça a été le plus difficile. Je n'ai pas eu beaucoup d'aide des Occidentaux en place. Je suis allé voir les gens de Radio-Canada mais Don Murray, le correspondant de l'époque, s'en revenait au Canada et l'époux s'installait.

A la Nouvelle Delhi, Mario tourne son dernier film. C'est sa dernière carte. C'est aussi sa dernière chance de passer en première place. Depuis plusieurs semaines, il talonne le premier qui, lui, ne se laisse pas faire. Pas de chance. Mario terminera en deuxième place quatre points seulement derrière le premier. C'est la règle du jeu. C'est fini. Il faut rentrer.

Triomphe

A Montréal et à Trois-Rivières, c'est le retour triomphal de l'enfant prodige. Mario Bonenfant a vécu une aventure extraordinaire. Dans le petit appartement qu'il partage avec des étudiants, il n'est pas vraiment chez lui. «Mais maintenant, je suis chez moi partout», me dira-t-il.

— Que ressentez-vous au retour d'un aussi long voyage, d'une si grande aventure?

— On m'avait prévenu que le retour serait difficile. Que j'aurais l'impression de vivre deux ans en six mois, que je trouverais le monde bien petit. En fait, je ne ressens rien de tout cela, je plane encore, je suis encore dans la course.

— Comptez-vous atterrir un jour?

— Oui, mais je n'ai pas le temps. Il y a trop de choses qui se passent depuis mon retour.

— Connaissez-vous un peu mieux le monde maintenant?

— A peine. On ne reste pas assez de temps dans les pays pour vraiment les connaître. On ne fait qu'effleurer. On est avant tout branché sur le sujet du film. Cela en devient une obsession. Car le film, il faut le sortir toutes les semaines. La Course autour du monde, pour moi, ça a été 22 pays. Comme 22 livres dont je n'aurais lu que la préface.

la presse
LE PLUS GRAND QUOTIDIEN FRANÇAIS D'AMÉRIQUE

MONTRÉAL, MARDI 8 FÉVRIER 1983, 99e ANNÉE, n° 32, 62 PAGES, 4 CAHIERS

LA COURSE AUTOUR DU MONDE

La forme extraordinaire de Mario Bonenfant

■ Suivez-vous *La Course autour du monde* cette saison? Si oui, vous devez être comme moi et avoir la passion de Mario Bonenfant, un de nos candidats québécois. J'ai pris congé sans difficulté de la télé payante samedi pour suivre les exploits de ce garçon qui n'en finit plus de m'étonner.

Pourtant, c'est Georges Amar qui m'avait le plus impressionnée en début de saison. Ses films de présentation m'avaient enchantée, et ceux de Bonenfant m'avaient laissée indifférente. Mais voilà que Bonenfant était un coureur de fond, un de ces athlètes à qui la course développe le souffle au lieu de le lui couper. Depuis trois semaines, Bonenfant nous envoie des petits bijoux. La soupe aux nids d'hirondelle, ce jeu malais qui ressemble au volleyball mais que l'on joue sans mains (le sepal tekraw, mais je l'écris au son) et ce samedi le tatami. Voilà quelqu'un qui choisit des sujets simples, mais qui sait les traiter avec intelligence et un sens inné du reportage. Qui part par exemple d'une balle en rotin qui se vend pour quelques sous

photothèque LA PRESSE
Mario Bonenfant

dans tous les marchés de Malaisie et qui nous amène à ce jeu plus sophistiqué qui s'appelle peut-être le sepal tekraw que l'on joue même aux Olympiques de l'Asie.

J'étais furieuse la semaine dernière que les jurés luxembourgeois maltraitent autant ce film. D'ailleurs, les jurés à l'émission ont réagi assez mal merci. Gilles Marsolais les a qualifié de cheap, et Richard Guay a enveloppé un peu plus son désaccord, mais ça voulait dire la même chose. Ce week-end, les Européens se sont ralliés et ont accordé des notes qui avaient de l'allure à un film superbe.

Bref, Bonenfant est en deuxième place, assez loin derrière le champion Brunard, mais magnifiquement placé. Mieux que tout autre Canadien à cette étape presque finale de l'entreprise. Il a déjà écrit une lettre charmante qu'on a lue à l'émission pour dire combien il aimait la Course. Qu'il sache que nous, on l'aime et chaque semaine de plus en plus.

Mario Bonenfant est originaire de Trois-Rivières, il vient d'avoir 20 ans et il est le plus jeune concurrent dans l'émission.

«Course autour du monde»

Mario a terminé deuxième

Mario Bonenfant de Trois-Rivières.

(M.R.) — Le jeune trifluvien, Mario Bonenfant a terminé bon deuxième à la «Course autour du monde» seulement cinq points derrière le belge Alain Brunard.

Il aura fallu attendre à la toute fin de l'émission hier pour connaître le grand gagnant de cette course extrêmement serrée.

Tout au long des 22 semaines qu'a duré cette fameuse course organisée conjointement par Radio-Canada, Antenne 2, RTL et SSR, les jeunes candidats des quatre pays participant se sont livrés une lutte acharnée pour la première place au classement final.

Au cours des dernières semaines, le candidat de Trois-Rivières, Mario Bonenfant et celui de Bruxelles, Alain Brunard se sont talonnés sans répit.

Le compte final: Alain Brunard 1391, Mario Bonenfant 1386.

C'est la première fois qu'un candidat canadien passe si près de remporter la première place de la «Course autour du Monde» depuis le début de cette populaire émission, soit depuis 1978.

«COURSE AUTOUR DU MONDE»

Un Québécois terminera dans les premiers rangs

Pour la première fois en cinq ans de «Course autour du monde», cette émission qui présente une compétition entre jeunes cinéastes et qui est télédiffusée dans plusieurs pays de langue française, un Québécois terminera dans les premiers rangs.

Monelle Saindon

Bien installé à Paris, point de rencontre des cinéastes qui ont participé à la course, Mario Bonenfant, un Trifluvien de 20 ans, connait déjà le résultat final ce trépidant concours mais ce n'est que samedi, à 17 heures sur le réseau de Radio-Canada, que les téléspectateurs sauront s'il a réussi à atteindre le premier rang ou s'il termine, fort élégamment, au deuxième rang, soit derrière Alain Brunard du Luxembourg. À cette occasion, Mario présentera son dernier film de la course, un reportage sur «La dot de la jeune mariée hindoue».

«Même avec un deuxième rang, nous serons très satisfaits de Mario», a confié au *Journal* le père du jeune cinéaste, Jean-Paul Bonenfant. «Il a réalisé un exploit extraordinaire et il a développé un courage fantastique au cours de cette expérience qui l'a mené dans les endroits les plus reculés du monde!»

À Trois-Rivières, le succès du jeune cinéaste a suscité tellement d'admiration que le journal *Le Nouvelliste* a fait parvenir à Mario, à Paris, une immense carte de félicitations signée par plus de 500 personnes.

Dans la course depuis plus d'une vingtaine de semaines, Mario Bonenfant a ainsi eu l'occasion de visiter 17 pays et de réaliser autant de films. Étudiant en cinéma à l'université Concordia, le jeune cinéaste trifluvien a été choisi comme participant à la course parmi plus de 500 candidats. Un autre Canadien, Georges Amar, qui occupe actuellement la septième place au tableau des résultats, a aussi été sélectionné tandis que deux Luxembourgeois, deux Français et deux Suisses complétaient l'équipe de compétiteurs.

Chaque participant a reçu $2,000 pour l'équipement et a bénéficié, à toutes les deux semaines, d'une allocation de $900. Par ailleurs, les gagnants de la course mériteront respectivement $10,000, $5,000, $2,000 et $1,000.

Enfin, les jeunes cinéastes qui aimeraient représenter le Québec lors de la prochaine «Course autour du monde» doivent dès maintenant soumettre leur candidature. On peut obtenir les formulaires d'inscription en écrivant à «La course autour du monde», C.P. 2,600, Succursale C, Montréal H2L-4K6.

Photo LE JOURNAL

Après avoir visité l'Algérie, le Brésil, la Bolivie, le Pérou, l'Equateur, l'Inde et plusieurs autres pays, Mario Bonenfant reprend son souffle. Sa «Course autour du monde est terminée et, bien installé à Paris, il attend fébrilement le dévoilement des résultats officiels sur les ondes des télévisions de la communauté des programmes de langue française.

le nouvelliste plus
Supplément du week-end samedi le 19 février 1983

Bonenfant a fini sa course

par Jacques PRONOVOST

TROIS-RIVIERES — Bien installé à Paris, Mario Bonenfant pourra prendre les choses plus à la légère dans les prochaines semaines. Il a effectivement terminé sa "Course autour du monde" et se repose présentement dans la capitale française.

Pour les téléspectateurs, la "Course" se poursuivra cependant encore trois semaines. Et d'ici là, Bonenfant promet quelques surprises. Bien qu'il soit maintenant arrivé à destination, il présentera quand même trois films encore avant la finale où on connaîtra le classement des télé-globe-trotters des quatre pays francophones qui participent à cette série.

Cette semaine, le jeune cinéaste trifluvien connaîtra une autre semaine excellente avec un très bon pointage selon ce que Le Nouvelliste a appris dans les coulisses. Bonenfant présentera un reportage sur des monuments de glace en Sibérie occidentale, dans le Nord de la Chine (dans la ville de Harbin). Il a dû obtenir une extension de temps pour son visa afin d'aller réaliser ce film, ce qui lui a causé aussi quelques problèmes.

A noter que l'émission "la Course autour du [illegible] présentée exceptionnellement à 14 heures aujourd'hui.

Le père de Mario, Jean-Paul Bonenfant, jubile [illegible] voir son fils terminer la course avec autant d'aplomb. On se rappellera qu'il avait commencé au bas de l'échelle demeurant au dernier rang pendant les premières semaines de l'épreuve.

"Ce sera une fin de course époustouflante", disait son père qui venait de recevoir un appel de son fils en provenance de Paris. **"Il grugera probablement quelques points sur le total de Brunard encore cette semaine. Qui sait ce qui peut se produire... Il y a encore de l'espoir pour le premier rang"**, osait dire son père.

Voici le classement actuel:

16e semaine de course

NOMS	PAYS	PTS	MOY
Alain Brunard	Luxembourg	1220	81,3
MARIO BONENFANT	**Canada**	**1089**	**77,7**
Rafael Guillet	Suisse	1136	75,7
Marc de Hollogne	Luxembourg	1052	75,1
Jean-François Cuisine	France	1037	74
Anne-Christine Leroux	France	1108	73,8
Georges Amar	Canada	1059	70,6
Yves Godel	Suisse	950	67,8

Un jeune Trifluvien de vingt ans dans "La course autour du monde"

par André GAUDREAULT

TROIS-RIVIERES — Un jeune Trifluvien de 20 ans, Mario Bonenfant, a vu sa candidature retenue pour participer à "La course autour du monde" une expérience cinématographique en Super 8 qui entreprend sa cinquième année sur les ondes des télévisions de la communauté des programmes de langue française, dont Radio-Canada évidemment.

Même si la chose était déjà connue du jeune Bonenfant depuis un bon moment, ce n'est que samedi que le public a appris les noms des candidats sur lesquels avait porté le choix du jury. L'autre participant est un Montréalais de 24 ans, Georges Amar, d'origine marocaine.

"La course autour du monde" avait suscité cette année un intérêt considérable puisque 500 demandes de dossiers avaient été faites au Service des émissions jeunesse de Radio-Canada. A cause de la complexité et des exigences des dossiers, seulement 75 étaient retournés à la société d'Etat. De ces 75 jeunes qui avaient complété le dossier, huit seulement étaient convoqués à Radio-Canada. Une autre sélection devait réduire ce nombre à quatre. Et ce sont précisément les films de ces quatre candidats, dont Mario Bonenfant, qu'on a pu voir aux émissions des 18 et 25 septembre.

Mario Bonenfant

Déjà, en ce moment, Mario Bonenfant est parti à travers le monde, puisque la véritable course commence le 11 octobre après l'émission d'envoi du 3 au cours de laquelle on fera la présentation des candidats de chaque pays, mais Le Nouvelliste l'avait rencontré en juillet au moment où il était parmi les quatre finalistes. Un peu plus tard, il nous faisait par lui-même du dernier choix du jury qui en faisait l'un des deux élus.

L'an dernier les deux Canadiens de "La course..." s'étaient classés respectivement 7e et 8e. Mais il n'est pas interdit d'espérer bien davatange de Mario Bonenfant, un jeune homme intelligent, curieux et possédant une remarquable personnalité.

D'abord élève du séminaire Saint-Joseph, Mario Bonenfant fit par la suite des études en sciences pures au Cégep de Trois-Rivières, avant de s'inscrire en cinéma pour un an à l'université Concordia de Montréal. Ne pas avoir fait plus d'un an d'études en cinéma, était d'ailleurs un pré-requis pour participer au concours, dira-t-il. Notons que déjà, le jeune Trifluvien avait produit un film Super 8 pour l'émission Téléjeans de Radio-Canada.

(Flageol Photo — Roméo Flageol)
Mario Bonenfant.

Mario Bonenfant était bien conscient, au moment où nous l'avons rencontré, que l'expérience qu'il allait vivre (et qui est présentement en cours) ne serait pas facile, mais c'est avec beaucoup de confiance et de détermination qu'il l'envisageait.

Ce n'est pas sans raison que cette émission s'appelle "La course autour du monde". Mario Bonenfant, en l'espace de 22 semaines, aura fait l'Europe, l'Asie, l'Afrique, l'Amérique, l'Océanie et l'Australie. Et à travers tout cela il devra régulièrement se rapporter à Paris pour toucher son allocation. Et si l'Amérique du Nord et l'Europe ne posent pas trop de problèmes aux voyageurs occidentaux, il n'en est pas forcément de même en Afrique, en Asie et même en Amérique du Sud. C'est dire qu'il faut énormément de détermination et de débrouillardise pour entreprendre un tel périple...ce dont, de toute évidence, Bonenfant ne semble pas manquer.

Notons que chaque participant a reçu $2,000 pour l'équipement, et qu'à toutes les deux semaines il bénéficie d'une allocation de $900. Par ailleurs, les gagnants mériteront respectivement $10,000, $5,000, $2,000 et $1,000, prix qui seront remis à Paris le 12 février.

Entre-temps, Mario Bonenfant aura vécu une expérience sans doute exténuante, mais combien enrichissante! C'est du moins ainsi qu'il l'entrevoyait.

Notons que Mario Bonenfant peut être entendu les lundis matin, entre 7h et 7h15, sur les ondes de la station de radio CHLN.

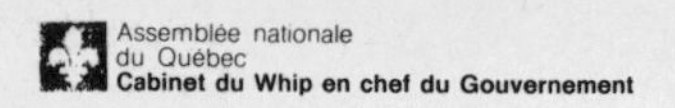

COMMUNIQUE DE PRESSE

DIFFUSION IMMEDIATE

L'ASSEMBLEE NATIONALE HONORE MARIO BONENFANT

QUEBEC, le 29 mars 1983 - Le député de Champlain, M. Marcel Gagnon, a présenté une motion de félicitationsà l'endroit de Mario Bonenfant qui s'est distingué dans la course autour du monde.

Vous trouverez en annexe le texte de cette motion présentée le 24 mars dernier à l'Assemblée nationale.

SOURCE: JOsette Dion
Attachée de presse
Cabinet du Whip en chef
du Gouvernement (643-6018)

"Monsieur le Président. Vous avez vous-même souligné la présence dans nos galeries d'un jeune Québécois qui nous a fait honneur dans la course autour du monde. Il s'agit de Mario Bonenfant. Je voudrais, avec votre permission et la permission de l'Opposition, des membres de l'Assemblée nationale, demander qu'on fasse une motion de félicitations à l'endroit de Mario Bonenfant. Mario Bonenfant s'est fait remarquer de façon incroyable...

Au cours des sept derniers mois, comme Québécois, il a semé l'enthousiasme, je pense, chez l'ensemble des Québécois. Il s'est fait remarquer par son courage, sa persévérance, sa ténacité. Il s'est fait remarquer à tous points de vue et je pense qu'il a été un exemple et un ambassadeur extraordinaire pour le Québec. Je voudrais que cette Assemblée nationale, au nom de tous les Québécois, adresse à Mario Bonenfant un message ou une motion de félicitations. Je voudrais aussi en profiter pour féliciter tous ceux qui, dans son entourage, l'on encouragé et l'on appuyé. Dans un journal de la Mauricie, lorsqu'on mentionnait les succès de Mario Bonenfant, on disait: Demain t'appartient. Je pense qu'avec l'exemple qu'il nous donne, on peut dire ensemble, les Québécois qui ont cette jeunesse, cette ténacité et cette volonté de réussir: Demain nous appartient. Merci Mario."

MARIO BONENFANT

— Mario est né le 10 février 1962
— Originaire de Champlain il demeure maintenant à Trois-Rivières
— Mario est le fils de Jean-Paul Bonenfant, gérant du bureau "Crédit, Protection, Service" du boulevard Des Forges à Trois-Rivières.
— Membre des Petits Chanteurs ~~du Cap~~ de Trois Rivières depuis 10 ans
— Photographe officiel de ce groupement lors d'une tournée en Europe en 1978 (il a produit un film de deux heures à cette occasion).
— Mario a complété un DEC en sciences pures au Cégep de Trois-Rivières.
— Il étudie présentement en cinéma à l'Université Concordia.

GLOBE-TROTTEUR CINÉASTE

"Ma course, je la vis comme un truc d'exploration"

À l'instar de Jacques Cartier, de Christophe Colomb, de Vasco De Gama, Mario Bonenfant de Trois-Rivières est parti à la découverte du Monde. Il a toutefois choisi l'avion plutôt que le célèbre navire à voile, histoire de découvrir plus rapidement de nouveaux pays et a troqué carabines et fusils pour se munir d'une caméra.

■ Comme les kangourous qu'il côtoyait ces jours derniers en Australie, Mario Bonenfant, un jeune Trifluvien globe-trotter, saute de pays en pays, de continent en continent depuis deux mois. Représentant du Canada dans la "**Course autour du monde**" télévisée tous les samedis soir sur le réseau Radio-Canada, Bonenfant dit vivre une expérience extraordinaire, enrichissante au point où il ne réussit pas à se détacher de cette course pour vivre un peu à la touriste.

Tous les samedis soir, on reconnait surtout Bonenfant par sa façon d'aborder les pays qu'il visite, une façon bien à lui qui l'amène plus souvent qu'autrement dans les montagnes, dans les villages perdus, dans la jungle.

"Ma course, je la vis comme un truc d'exploration. Je suis heureux dans la brousse loin des capitales trop froides et bien souvent très peu représentatives de la vraie réalité du pays", explique Mario, rejoint par Le Nouvelliste en Australie il y a déjà quelques semaines mais d'où il s'apprêtait à partir pour Bali, en Inde.

Textes: Jacques Pronovost

Incidemment, le film qu'on nous présente le samedi soir est celui qu'il a filmé il y a déjà deux semaines. Mario, lui, est déjà rendu très loin de là.

Le jeune globe-trotter trifluvien adore partir à l'aventure. En Australie, il avait loué une automobile pour entrer au coeur du pays. **"Ce que j'aime par-dessus tout c'est la dimension de découverte. Un tiers seulement des films que je fais ont été planifiés avant le départ de la course. Bien souvent, en arrivant dans le pays, de toute façon je trouve autre chose de bien plus intéressant. J'ai des adresses de gens dans chacun des pays mais c'est tellement compliqué de les rejoindre que je préfère me faire des contacts, des amis même, dès que je pose le pied à l'aéroport dans un nouveau pays. C'est bien plus de cette façon que l'on trouve les meilleurs sujets."**

Mario vit au rythme de sa course, une course essoufflante mais combien intéressante. **"Notre forme physique et psychologique va même un peu au rythme des notes qu'on obtient avec nos films. Pas trop quand même, ce serait trop bête, mais ça stimule ou ça amortit"**, explique encore Mario qui est en contact permanent avec Jean-Louis Boudou à Montréal, un ex-globe-trotter canadien de cette même "Course autour du monde".

Bien dans le peloton de tête, Mario poursuit sa course dans une forme splendide...comme les notes qu'il reçoit depuis quelques semaines.

"Je n'ai pas le temps de voyager en touriste"

■ Qui ne rêve pas de faire le tour du monde comme les globe-trotters de la "Course autour du monde"?

"Mais détrompez-vous, on n'a pas le temps de voyager en touristes. C'est pareil comme si on travaillait dans chacun des pays qu'on visite. On est tellement occupé à trouver nos sujets et à les produire qu'on a souvent l'impression d'avoir été dans le pays pendant une éternité tellement on croit le connaître à fond. Pourtant on reste très peu de temps en réalité. Et chaque fois qu'on entre dans un nouveau pays on repart complètement à zéro."

Mario Bonenfant raconte que toujours il n'a dans la tête que "sa" course. **"Ça ne me donne pas le temps de sortir en touriste. Mais ça ne me manque pas vraiment cet aspect-là. De toute façon, il nous est absolument impossible de nous détacher de la course. On est continuellement en contact avec Paris ou Montréal"**.

Des expériences inouïes

Malgré tout, les globe-trotters vivent des expériences inouïes. **"Comme celle du Mexique où j'ai filmé sous l'eau avec mon plongeur, Oliverio, et dont vous avez vu le film. Je n'avais jamais plongé et il m'a amené à 15 mètres sous la mer. J'avais encore moins déjà filmé sous l'eau. Dans la course, j'ai fait des choses que je n'aurais jamais faites autrement"**, lance un Bonenfant exubérant quand il raconte les anecdotes qui embellissent son long périple...il a même été demandé en fiançailles.

Bonenfant a déjà visité...et "travaillé" comme il le décrit, dans une quinzaine de pays depuis le début de cette course. Elle l'a conduit successivement au Portugal, en Algérie, au Niger, au Nigeria, au Ghana, au Brésil, au Maroc, en Bolivie, au Pérou, en Equateur, au Mexique, aux USA, en Australie, et en Inde.

"Mais de tous, c'est la Bolivie que j'ai préférée. C'est un pays qui n'est pas touristique du tout mais où j'étais libre de faire tout ce que je voulais. C'est un véritable petit paradis de sujets pour un télé-globe-trotter".

Et Bonenfant semble baigner dans cette atmosphère paradisiaque d'une course qui a pourtant des dures exigences bien à elle.

Excellent troisième

Parti lentement Mario Bonenfant montre les dents depuis quelques semaines. Le voilà même rendu bon troisième dans cette course qu'il avait entrepris dans les derniers rangs.

De plus en plus l'esprit vif, l'esprit d'émerveillement et son sens inné de la découverte séduisent les juges.

Voici le dernier classement (après dix films)

NOM	PAYS	PTS	MOY
Alain Brunard	Luxembourg	779	77.9
Anne-Christine Leroux	France	758	75.8
MARIO BONENFANT	Canada	756	75.6
Rafael Guillet	Suisse	749	74.9
Marc de Hollogne	Luxembourg	746	74.6
Jean-François Cuisine	France	716	71.6
Georges Amar	Canada	686	68.6
Yves Godel	Suisse	652	65.2

★ Ce soir le film de Mario Bonenfant parviendra de Bolivie où il a découvert des chercheurs d'or: "Ce qui se cache dans la boue".

3A / LE NOUVELLISTE, samedi le 8 janvier 1983

le nouvelliste

500, St-Georges Trois-Rivières
G9A 5J6 TÉL.: 376-2501

Trois-Rivières, jeudi 3 mars 1983

(Flageol Photo — Terry Charland)

Le NOUVELLISTE est fier de la performance du jeune Mario Bonenfant dans la "Course autour du Monde", une émission télévisée à Radio-Canada. C'est donc avec empressement que LE NOUVELLISTE a répondu à l'appel de Louis Ménard, un copain de Mario Bonenfant, pour l'aider à réaliser une carte géante où on retrouve, en cinq pages à l'intérieur, plus de 500 signatures d'appui au jeune globe-trotter. La page frontispice est illustrée d'une caricature signée Delatri. Cette carte a été acheminée à Paris tôt cette semaine afin que Mario la reçoive avant de prendre le chemin du retour. LE NOUVELLISTE entend préparer une réception spéciale pour le jeune globe-trotter à son retour. Sur la photo, M. Jean-Paul Bonenfant, père de Mario, et Louis Ménard, initiateur du projet de carte de félicitations, recevaient celle-ci des mains du président de votre quotidien, M. Charles d'Amour.

TABLE DES MATIÈRES

Page

Préface de Richard Guay 1
La Course Autour du Monde c'est quoi? 9
Carte de l'itinéraire 19
Carte de pointage 5

Chapitre 1
- Le Portugal... ou Comment partir bon dernier 21

Chapitre 2
- Découvrir l'enfer au Maroc 31

Chapitre 3
- L'Algérie avec vingt dollars 43

Chapitre 4
- Au Nigéria: Vivre le danger du marché noir 51

Chapitre 5
- Coup de foudre en Bolivie 57

Chapitre 6
- La Bolivie... Une mine à découvrir 65

Chapitre 7
- La vallée des centenaires en Équateur 75

Chapitre 8
- Quelques lieues sous les mers, au Mexique 85

Chapitre 9
- Un merveilleux collaborateur à Los Angeles U.S.A. 95

Chapitre 10
- Incapable de m'arrêter: Los Angeles et Las Vegas 109

Chapitre 11
- Voyage dans le temps, vers l'Australie 115

Chapitre 12
- Conduire une auto à gauche à Sydney 127

Chapitre 13
- Bali et ses massages (Indonésie) 137

Chapitre 14
- Le temple du Mont Kawi (Indonésie) 147

Chapitre 15
- Sports d'acrobates à Singapour 157

Chapitre 16
- Des nids d'hirondelles, à Bornéo 169

Chapitre 17
- Sur une autre planète, au Japon 179

Chapitre 18
- Tribulation d'un trifluvien en Chine 191

Chapitre 19
- Ping-Pong à Pékin 205

Chapitre 20
- À Paris comme à Montréal, on avait peur
que je me casse la figure 219
- Inde, New Delhi ....

Chapitre 21
- Fin d'une course mémorable 231

Epilogue
- La Course autour du monde, un rallye en image 241

LITHO